#서술형
#해결전략
#문제해결력
#요즘수학공부법

수학도
독해가
힘이다

Chunjae
Maketh
Chunjae

▼

기획총괄	박금옥
편집개발	윤경옥, 김미애, 박초아, 이은혜, 조선현,
	김연정, 김수정, 김유림, 남태희
디자인총괄	김희정
표지디자인	윤순미, 김지현, 이주영
내지디자인	박희춘, 이혜미
제작	황성진, 조규영

발행일	2021년 4월 15일 초판 2021년 4월 15일 1쇄
발행인	(주)천재교육
주소	서울시 금천구 가산로9길 54
신고번호	제2001-000018호
고객센터	1577-0902

수학도 독해가 힘이다

초등 수학 5·2

4차 산업혁명 시대!
AI가 인간의 일자리를 대체하는 시대가
코앞에 다가와 있습니다.

인간의 강력한 라이벌이 되어버린 **AI**를 이길 수 있는
인간의 가장 중요한 **능력** 중 하나는
바로 '**독해력**'입니다.

수학 문제를 푸는 데에도 이러한 '**독해력**'이 필요합니다.
일단 문장을 읽고 **이해한 후 수학적으로 바꾸어 생각**하여
무엇을 구해야 할지 알아내는 것이 수학 독해의 핵심입니다.

〈수학도 **독해가 힘이다**〉는 읽고 이해하는
수학 독해력 훈련의 기본서입니다.

Contents

이 책의 **특징**

 1 문제 **해결력** 기르기

---

3 해결 전략을 익혀서 선행 문제 → 실행 문제를 완성!

선행 문제 해결 전략

· **1** , **6** , **2** 로 가장 큰(작은) 세 자리 수를 만들어 반올림하여 십의 자리까지 나타내기

예 가장 큰 세 자리 수로 만들 때:
　① 큰 수부터 차례로 높은 자리에 쓰면

　　6 **2** **1**

　② 반올림하여 십의 자리까지 나타내면

　　621 → 620
　　　↳ 버린다.

예 가장 작은 세 자리 수로 만들 때:
　① 작은 수부터 차례로 높은 자리에 쓰면

　　1 **2** **6**

---

2 선행 문제를 풀면 실행 문제를 풀기 쉬워져!

선행 문제 **1**

수 카드 3장을 한 번씩만 사용하여 세 자리 수를 만들었습니다. 만든 수를 반올림하여 십의 자리까지 나타내세요.

　　5　　3　　8

(1) 만든 수가 가장 큰 세 자리 수일 때

　풀이 ① 가장 큰 세 자리 수: ☐☐☐

　　② 반올림하여 십의 자리까지 나타내기:
　　☐☐☐

(2) 만든 수가 가
　　　　　　　　실행 문제를 풀기 위한 워밍업

　풀이 ① 가장   ☐☐☐

---

1 실행 문제를 푸는 것이 목표!

실행 문제 **1**

수 카드 4장을 한 번씩만 사용하여 네 자리 수를 만들었습니다./
만든 수 중 가장 큰 수를/
반올림하여 백의 자리까지 나타내세요.

　　1　　6　　3　　7

전략 큰 수부터 차례로 천, 백, 십, 일의 자리에 쓰자.

❶ 가장 큰 네 자리 수   풀이 단계별 전략 제시

전략 위 ❶에서 만든 수의 십의 자리 숫자에 따라 버리거나 올

---

4 쌍둥이 문제로 실행 문제를 완벽히 익히자!

쌍둥이 문제 **1-1**

수 카드 4장을 한 번씩만 사용하여 네 자리 수를 만들었습니다./
만든 수 중 가장 작은 수를/
반올림하여 백의 자리까지 나타내세요.

　　1　　6　　3　　7

실행 문제 따라 풀기　　실행 문제 해결 방법을 보면서 따라 풀기

❶

❷

답 _____

실전

2 수학 사고력 키우기

단계별로 풀면서 사고력 UP! 따라 풀기를 하면서 **서술형 완성!**

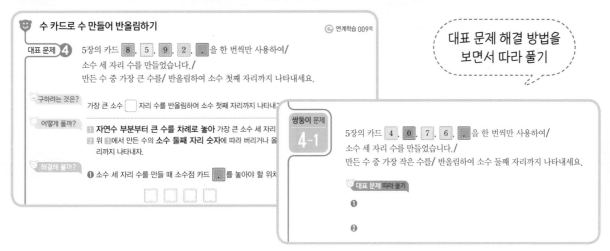

대표 문제 해결 방법을
보면서 따라 풀기

완성

3 수학 독해력 완성하기

차근차근 단계를 밟아 가며 문제 해결력 완성!

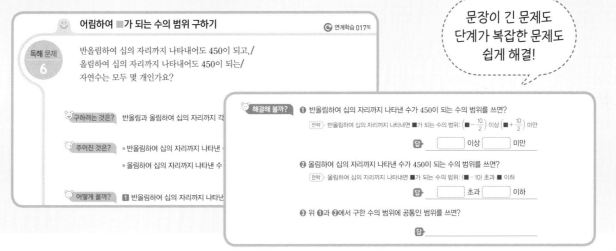

문장이 긴 문제도
단계가 복잡한 문제도
쉽게 해결!

특별
코너

4 창의·융합·코딩 체험하기

요즘 수학 문제인 창의·융합·코딩 문제 수록

4차 산업 혁명 시대에
알맞은 최신 트렌드 유형

수의 범위와 어림하기

FUN 한 이야기

오늘은 즐거운 소풍날입니다.

우리 같은 차 타면 좋겠다.

나도 그랬으면 좋겠다~

웅성 웅성

학생 72명이 승합차를 타려고 기다리고 있어요.

자~ 줄 서서 차례로 한 명씩 타세요.

승합차 한 대에 탈 수 있는 정원이 10명이래요.

정원이 10명이니 너희들은 다음 차를 타야겠구나.

정원10명

승합차는 최소 몇 대 있어야 하나요?

선생님~ 우리는 뭐 타고 가요??

앗!

부 우 웅

학생 72명이 승합차를 타려고 기다리고 있습니다./

승합차 한 대에 탈 수 있는 정원이 10명일 때,/

승합차는 최소 몇 대 있어야 하나요?

10명씩 태운 버스 7대

우리도 타야 할 승합차가 필요해.

72명이 모두 탈 수 있는 최소 승합차의 수를 구해 보자.

정원을 채워 탄 승합차 수 : _____ 대

정원을 채워 타고 남은 사람 수 : _____ 명

→ 필요한 최소 승합차 수 : _____ 대

{ 문제 해결력 기르기 }

① 올림의 활용

해결 전략

> 모자라지 않게 돈을 내는 경우
> 남는 사람 없이 모두 타는 경우 → **올림**

예 1000원짜리 지폐로 2500원짜리 인형을 살 때 최소 얼마가 필요한지 구하기

① 어림 방법 알아보기

2500원보다 **모자라지 않아야** 하므로 **올림**한다.

② 필요한 최소 금액 구하기

1000원짜리 지폐로 사야 하므로 **최소 3000원**이 필요하다.

> 2500을 올림하여 **천의 자리까지 나타내면**
> 2500 → **3000**
> └→ 올린다.

선행 문제 ①

어떤 방법으로 어림해야 좋을지 알아보세요.

(1)
> 10000원짜리 지폐로 34000원짜리 물건을 살 때 최소 얼마가 필요한지 구하기

풀이 물건의 가격보다 모자라지 않아야 하므로 (올림 , 버림 , 반올림)한다.

(2)
> 등산객 201명이 한 대에 탈 수 있는 정원이 10명인 케이블카에 모두 탈 때 케이블카의 최소 운행 횟수 구하기

풀이 남는 등산객이 없도록 모두 타야 하므로 (올림 , 버림 , 반올림)한다.

실행 문제 ①

3100원짜리 필통을 사려고 합니다./
1000원짜리 지폐로만 낸다면/
최소 얼마를 내야 하나요?

❶ 모자라지 않게 내야 하므로
(올림 , 버림 , 반올림)한다.

❷ 1000원짜리 지폐로 내야 하므로
3100을 올림하여 ☐의 자리까지 나타내면
3100 → ☐

❸ 최소 ☐원을 내야 한다.

답 _____

쌍둥이 문제 1-1

학생 327명에게 공책을 한 권씩 나누어 주려고 합니다./
문구점에서 공책을 10권씩 묶음으로만 판다면/
최소 몇 권을 사야 하나요?

실행 문제 따라 풀기

❶

❷

❸

답 _____

② 버림의 활용

> 지폐로 바꿀 수 없는 경우
> 상자에 꽉 채워 담을 수 없는 경우 ⤍ **버림**

예 모은 동전 23400원을 10000원짜리 지폐로 바꾼다면 최대 얼마까지 바꿀 수 있는지 구하기

① 어림 방법 알아보기

10000원이 안 되는 금액은 **바꿀 수 없으므로 버림**한다.

② 바꿀 수 있는 최대 금액 구하기

10000원짜리 지폐로 바꾸므로
최대 20000원까지 바꿀 수 있다.

23400을 **버림하여 만의 자리까지** 나타내면
23400 ➡ **20000**
└➡ 버린다.

선행 문제 ②

어떤 방법으로 어림해야 좋을지 알아보세요.

(1)
> 모은 동전 4500원을 1000원짜리 지폐로 바꾼다면 최대 얼마까지 바꿀 수 있는지 구하기

풀이 1000원이 안 되는 금액은 바꿀 수 없으므로 (올림 , 버림 , 반올림)한다.

(2)
> 탁구공 35개를 한 상자에 10개씩 담는다면 최대 몇 개까지 담을 수 있는지 구하기

풀이 10개씩 담고 남은 탁구공은 담을 수 없으므로 (올림 , 버림 , 반올림)한다.

실행 문제 ②

저금통에 동전 8700원이 있습니다./
이 동전을 1000원짜리 지폐로 바꾼다면/
최대 얼마까지 바꿀 수 있나요?

❶ 1000원이 안 되는 금액은 바꿀 수 없으므로
(올림 , 버림 , 반올림)한다.

❷ 1000원짜리 지폐로 바꾸므로
8700을 버림하여 ☐의 자리까지 나타내면
8700 ➡ ☐

❸ 최대 ☐원까지 바꿀 수 있다.

답 _____

쌍둥이 문제 2-1

과수원에서 수확한 사과는 632개입니다./
한 상자에 10개씩 담아 판다면/
사과는 최대 몇 개까지 팔 수 있나요?

실행 문제 따라 풀기

❶

❷

❸

답 _____

{ 문제 **해결력** 기르기 }

③ 같은 범위에 속하는 것 찾기

선행 문제 해결 전략

- 10이 포함되는 수의 범위 알아보기
  ① 수의 범위를 나타낸 표현에 10이 없는 경우

  예 <u>7</u> 이상 <u>11</u> 이하인 수

  범위의 시작은　범위의 끝은
  10보다 작고,　**10보다 크다.**

  ② 수의 범위를 나타낸 표현에 10이 있는 경우

  예 <u>10</u> 이상 12 이하인 수
  → **10 이상으로 범위 시작**

  예 5 초과 <u>10</u> 이하인 수
  → **10 이하로 범위 끝**

선행 문제 ③

13이 포함되는 수의 범위를 찾아 기호를 쓰세요.

> ㉠ 13 초과 15 이하인 수
> ㉡ 10 이상 13 이하인 수

풀이 13이 수의 범위 시작이나 끝에 있을 때 13이 포함되려면

13 이상으로 수의 범위가 시작되거나 13 [　] 로 끝나야 한다.

따라서 13이 포함되는 수의 범위는 [　]이다.

실행 문제 ③

학생들의 점수와 점수별 상의 종류를 나타낸 표입니다./
세연이가 동상을 받았다면/
세연이와 같은 상을 받는 학생은 누구인가요?

학생들의 점수

이름	점수(점)	이름	점수(점)
수아	78	상민	83
진호	90	재진	69

점수별 상의 종류

상	점수(점)
금상	90 이상
은상	80 이상 90 미만
동상	70 이상 80 미만
장려상	60 이상 70 미만

전략 동상의 점수 범위를 찾자.

❶ 세연이가 받은 상의 점수 범위: [　]점 이상 [　]점 미만

전략 위 ❶의 범위에 속하는 점수를 받은 학생을 찾자.

❷ 같은 상을 받는 학생: [　]

답 _____

④ 수 카드로 수 만들어 반올림하기

선행 문제 해결 전략

· **1** , **6** , **2** 로 가장 큰(작은) 세 자리 수를 만들어 반올림하여 십의 자리까지 나타내기

예 가장 큰 세 자리 수로 만들 때:
  ① 큰 수부터 차례로 높은 자리에 쓰면
  6 2 1
  ② 반올림하여 십의 자리까지 나타내면
  621 ➡ 620
  └→ 버린다.

예 가장 작은 세 자리 수로 만들 때:
  ① 작은 수부터 차례로 높은 자리에 쓰면
  1 2 6
  ② 반올림하여 십의 자리까지 나타내면
  126 ➡ 130
  └→ 올린다.

선행 문제 ④

수 카드 3장을 한 번씩만 사용하여 세 자리 수를 만들었습니다. 만든 수를 반올림하여 십의 자리까지 나타내세요.

 5 3 8

(1) 만든 수가 가장 큰 세 자리 수일 때
  풀이 ① 가장 큰 세 자리 수: ☐☐☐
  ② 반올림하여 십의 자리까지 나타내기:
  ☐☐☐

(2) 만든 수가 가장 작은 세 자리 수일 때
  풀이 ① 가장 작은 세 자리 수: ☐☐☐
  ② 반올림하여 십의 자리까지 나타내기:
  ☐☐☐

실행 문제 ④

수 카드 4장을 한 번씩만 사용하여 네 자리 수를 만들었습니다. /
만든 수 중 가장 큰 수를 /
반올림하여 백의 자리까지 나타내세요.

1 6 3 7

전략 큰 수부터 차례로 천, 백, 십, 일의 자리에 쓰자.

❶ 가장 큰 네 자리 수: ☐☐☐☐

전략 위 ❶에서 만든 수의 십의 자리 숫자에 따라 버리거나 올린 수를 구하자.

❷ 반올림하여 백의 자리까지 나타내기:
  ☐☐☐☐

답 _____

쌍둥이 문제 4-1

수 카드 4장을 한 번씩만 사용하여 네 자리 수를 만들었습니다. /
만든 수 중 가장 작은 수를 /
반올림하여 백의 자리까지 나타내세요.

1 6 3 7

실행 문제 따라 풀기

❶

❷

답 _____

5 두 수의 범위에 공통으로 속하는 자연수 구하기

선행 문제 해결 전략

• 두 수의 범위에 공통인 범위를 수직선에 나타내기

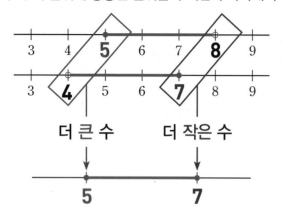

두 수의 범위의 시작 부분 중 더 큰 수를, 끝 부분 중 더 작은 수를 찾으면 돼.

선행 문제 **5**

두 수의 범위에 공통인 범위를 수직선에 나타내세요.

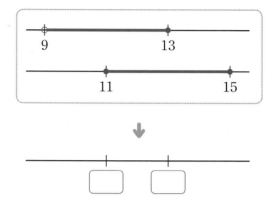

실행 문제 **5**

두 수직선에 나타낸 수의 범위에/ 공통으로 속하는 자연수를 모두 쓰세요.

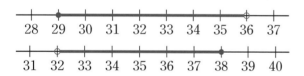

전략 두 수의 범위의 시작 부분 중 더 큰 수를, 끝 부분 중 더 작은 수를 찾자.

❶ 두 수의 범위에 공통인 범위를 수직선에 나타내기

전략 위 ❶의 범위에 속하는 자연수를 모두 구하자.

❷ 공통으로 속하는 자연수:

_____

답 _____

쌍둥이 문제 **5-1**

두 수직선에 나타낸 수의 범위에/ 공통으로 속하는 자연수를 모두 쓰세요.

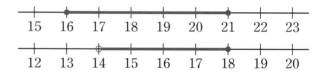

실행 문제 따라 풀기

❶

❷

답 _____

6 **어림하여 ■가 되는 수의 범위 구하기**

해결 전략

예 ①**올림하여** ②**십의 자리까지** 나타내면 50이 되는 수의 범위 알아보기

① 올림하여 50이 되었으므로
   50과 같거나 작은 수이다. → 50보다 크면 올림하여 50이 되지 않는다.
   → **50 이하**

② 십의 자리까지 나타내었으므로
   50에서 **10**을 뺀 **40보다 큰 수**이다.
   → **40 초과**
   └→ 40은 올림하여 십의 자리까지 나타내면 40이므로 40보다 커야 한다.

따라서 ①과 ②에 의해
수의 범위는 **40 초과 50 이하**이다.

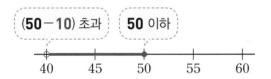

(**50−10**) 초과   **50** 이하

```
  ┼────┼────●────┼────┼
 40   45   50   55   60
```

예 ①**버림하여** ②**백의 자리까지** 나타내면 500이 되는 수의 범위 알아보기

① 버림하여 500이 되었으므로
   500과 같거나 큰 수이다. → 500보다 작으면 버림하여 500이 되지 않는다.
   → **500 이상**

② 백의 자리까지 나타내었으므로
   500에 **100**을 더한 **600보다 작은 수**이다.
   → **600 미만**
   └→ 600은 버림하여 백의 자리까지 나타내면 600이므로 600보다 작아야 한다.

따라서 ①과 ②에 의해
수의 범위는 **500 이상 600 미만**이다.

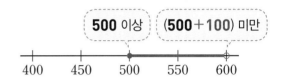

500 이상   (**500+100**) 미만

```
  ┼────┼────●────┼────┼
 400  450  500  550  600
```

실행 문제 6

올림하여/ 백의 자리까지 나타내면/
500이 되는 수의 범위를 구하세요.

❶ 올림하여 500이 되었으므로
   500과 같거나 (작은 , 큰) 수이다.
   → 500 (이하 , 이상)

❷ 백의 자리까지 나타냈으므로
   500에서 [   ]을 뺀 400보다 큰 수이다.
   → 400 (초과 , 미만)

전략 ▷ 위 ❶과 ❷의 공통 범위를 구하자.

❸ 수의 범위: 400 [   ] 500 [   ]

답 _____

쌍둥이 문제 6-1

버림하여/ 십의 자리까지 나타내면/
30이 되는 수의 범위를 구하세요.

실행 문제 따라 풀기

❶

❷

❸

답 _____

{ 수학 사고력 키우기 }

😊 올림의 활용

ⓒ 연계학습 006쪽

대표 문제 1 127명이 승합차를 타려고 기다리고 있습니다./
승합차 한 대에 탈 수 있는 정원이 10명일 때,/
승합차는 최소 몇 대 있어야 하나요?

😊 **구하려는 것은?** 127명이 모두 탈 수 있는 최소 승합차 대수

🐻 **어떻게 풀까?**
1 **남는 사람 없이 모두 타야 할 때**의 어림 방법으로 타야 할 사람 수를 구하고,
2 위 **1**에서 구한 사람 수가 탈 때의 최소로 필요한 승합차 수를 구하자.

😊 **해결해 볼까?**

❶ 알맞은 말에 ○표 하기

> 남는 사람 없이 모두 타야 하므로 (올림 , 버림 , 반올림)한다.

❷ 127명을 위 ❶의 어림 방법으로 십의 자리까지 나타내면 몇 명?

전략 〉 정원이 10명이므로 어림하여 십의 자리까지 나타내자. 답 _____

❸ 필요한 승합차는 최소 몇 대?

전략 〉 위 ❷에서 구한 사람 수가 승합차마다 정원을 채워 탔을 때의
승합차 수를 구하자. 답 _____

쌍둥이 문제

1-1

선착장에 421명이 배를 타려고 기다리고 있습니다./
배 한 척에 탈 수 있는 정원이 100명일 때,/
배는 최소 몇 척 있어야 하나요?

😊 **대표 문제 따라 풀기**

❶

❷

❸

답 _____

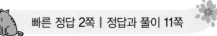

😊 버림의 활용

연계학습 007쪽

대표 문제 2

빵집에 남아 있는 밀가루는 5900 g입니다. /
식빵 한 개를 만드는 데 밀가루 1000 g이 필요하다면 /
식빵은 최대 몇 개까지 만들 수 있나요?

😊 **구하려는 것은?** 밀가루 5900 g으로 만들 수 있는 최대 식빵 개수

🐻 **어떻게 풀까?**

1️⃣ 1000 g이 안 되는 양으로 식빵을 만들 수 없을 때의 어림 방법으로 밀가루의 양을 구하고,
2️⃣ 위 1️⃣에서 구한 밀가루의 양으로 만들 수 있는 최대 식빵의 수를 구하자.

😊 **해결해 볼까?**

❶ 알맞은 말에 ○표 하기

> 1000 g이 안 되면 식빵을 만들 수 없으므로 (올림 , 버림 , 반올림)한다.

❷ 5900 g을 위 ❶의 어림 방법으로 천의 자리까지 나타내면 몇 g?

전략 ▷ 식빵 한 개에 밀가루 1000 g이 필요하므로 어림하여 천의 자리   답 _____
까지 나타내자.

❸ 만들 수 있는 식빵은 최대 몇 개?

전략 ▷ 위 ❷에서 구한 밀가루의 양으로 만들 수 있는 최대 식빵의 수를   답 _____
구하자.

쌍둥이 문제 2-1

리본 899 cm가 있습니다. /
상자 한 개를 포장하는 데 리본이 100 cm 필요하다면 /
상자를 최대 몇 개까지 포장할 수 있나요?

😊 **대표 문제 따라 풀기**

❶

❷

❸

답 _____

 같은 범위에 속하는 것 찾기

© 연계학습 008쪽

대표 문제 ③

남학생 씨름 선수들의 몸무게와/ 체급별 몸무게를 나타낸 표입니다./
진현이의 몸무게가 47 kg일 때,/
진현이와 같은 체급에 속하는 학생의 이름을 쓰세요.

남학생 씨름 선수들의 몸무게

이름	몸무게(kg)	이름	몸무게(kg)
지훈	55	재석	43
명수	50	동훈	45

체급별 몸무게(초등학교 남학생용)

체급	몸무게(kg)
소장급	40 초과 45 이하
청장급	45 초과 50 이하
용장급	50 초과 55 이하
용사급	55 초과 60 이하

▲ 대한씨름협회, 2019

😊 **구하려는 것은?** 진현이와 같은 체급에 속하는 학생

🙂 **어떻게 풀까?**

1️⃣ 진현이의 몸무게가 속한 범위를 알아보고,
2️⃣ 위 1️⃣의 범위에 몸무게가 속하는 학생을 찾자.

🐻 **해결해 볼까?**

❶ 진현이의 몸무게가 속한 범위는?

전략 ▷ 47 kg이 포함되는 범위를 쓰자.

답 _____

❷ 진현이와 같은 체급에 속하는 학생은?

전략 ▷ 위 ❶에서 답한 범위에 몸무게가 속하는 학생을 찾자.

답 _____

쌍둥이 문제 3-1

위 **대표 문제 3**의 표를 보고/ 보윤이의 몸무게가 52 kg일 때,/
보윤이와 같은 체급에 속하는 학생의 이름을 쓰세요.

😊 **대표 문제 따라 풀기**

❶

❷

답 ▶ _____

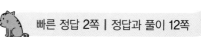

😊 수 카드로 수 만들어 반올림하기

ⓒ 연계학습 009쪽

대표 문제 4 5장의 카드 8 , 5 , 9 , 2 , . 을 한 번씩만 사용하여/

소수 세 자리 수를 만들었습니다./

만든 수 중 가장 큰 수를/ 반올림하여 소수 첫째 자리까지 나타내세요.

😊 **구하려는 것은?**

가장 큰 소수 ☐ 자리 수를 반올림하여 소수 첫째 자리까지 나타내기

😊 **어떻게 풀까?**

１ **자연수 부분부터 큰 수를 차례로 놓아** 가장 큰 소수 세 자리 수를 만들고,

２ 위 １에서 만든 수의 **소수 둘째 자리 숫자**에 따라 버리거나 올려서 소수 첫째 자리까지 나타내자.

😊 **해결해 볼까?**

❶ 소수 세 자리 수를 만들 때 소수점 카드 . 를 놓아야 할 위치의 기호는?

☐ ☐ ☐ ☐

↑　　↑　　↑
㉠　　㉡　　㉢

답 _____

❷ 만들 수 있는 가장 큰 소수 세 자리 수는?

전략 위 ❶에서 구한 위치에 소수점 카드를 놓고
자연수 부분부터 큰 수를 차례로 놓자.

답 _____

❸ 만든 소수 세 자리 수 중 가장 큰 수를 반올림하여 소수 첫째 자리까지 나타내면?

전략 위 ❷에서 만든 수의 소수 둘째 자리 숫자에 따라
버리거나 올려서 나타내자.

답 _____

쌍둥이 문제 4-1

5장의 카드 4 , 0 , 7 , 6 , . 을 한 번씩만 사용하여/

소수 세 자리 수를 만들었습니다./

만든 수 중 가장 작은 수를/ 반올림하여 소수 둘째 자리까지 나타내세요.

😊 **대표 문제 따라 풀기**

❶

❷

❸

답 _____

수학 사고력 키우기

두 수의 범위에 공통으로 속하는 자연수 구하기

연계학습 010쪽

대표 문제 5

오른쪽 두 수의 범위에 공통으로 속하는 자연수는/ 모두 몇 개인가요?

- 24 초과 34 이하인 수
- 19 이상 31 이하인 수

어떻게 풀까?

1 두 수의 범위의 시작 부분 중 더 큰 수를, 끝 부분 중 더 작은 수를 찾아 공통인 범위를 구하고,

24 초과 34 이하인 수
19 이상 31 이하인 수
더 큰 수 더 작은 수

2 위 1에서 구한 범위에 속하는 자연수를 모두 구해 그 개수를 세자.

해결해 볼까?

❶ 두 수의 범위에 공통인 범위를 쓰면?

전략 ▷ 두 수의 범위의 시작 부분 중 더 큰 수를, 끝 부분 중 더 작은 수를 찾자.

답 _____

❷ 위 ❶에서 구한 범위에 속하는 자연수를 모두 쓰면?

전략 ▷ ■ 초과인 수에는 ■가 포함되지 않는다.

답 _____

❸ 두 수의 범위에 공통으로 속하는 자연수는 모두 몇 개?

전략 ▷ 위 ❷에서 구한 수의 개수를 세자.

답 _____

쌍둥이 문제 5-1

오른쪽 두 수의 범위에 공통으로 속하는 자연수는/ 모두 몇 개인가요?

- 8 이상 19 미만인 수
- 13 초과 23 이하인 수

대표 문제 따라 풀기

❶

❷

❸

답 _____

어림하여 █가 되는 수의 범위 구하기

○ 연계학습 011쪽

대표 문제 6

농구장의 입장객 수를/ 버림하여 천의 자리까지 나타내었더니/ 3000명이었습니다./
농구장에 입장한 사람은 최대 몇 명인가요?

구하려는 것은? 농구장의 최대 입장객 수

어떻게 풀까?

1 버림하여 천의 자리까지 나타낸 수가 3000이 되는 수의 범위를 구한 후,
2 위 1에서 구한 범위에서 가장 큰 자연수를 찾아 최대 입장객 수를 구하자.

해결해 볼까?

❶ 알맞은 말에 ○표 하기

> 버림하였으므로 수의 범위는 3000과 같거나 (작은 , 큰) 수이다.

❷ 입장객 수의 범위를 쓰면?

전략▷ 버림하여 천의 자리까지 나타내면 █가 되는 수의 범위: █ 이상 (█+1000) 미만

답 [　　　　] 명 이상 [　　　　] 명 미만

❸ 농구장에 입장한 사람은 최대 몇 명?

전략▷ 위 ❷에서 구한 범위에 포함되는 가장 큰 자연수를 구하자.   답 _____

쌍둥이 문제 6-1

식물원의 입장객 수를/ 올림하여 백의 자리까지 나타내었더니/ 800명이었습니다./
식물원에 입장한 사람은 최소 몇 명인가요?

대표 문제 따라 풀기

❶

❷

❸

답 _____

1

수의 범위와 어림하기

17

STEP 3 { 수학 독해력 완성하기 }

☺ 수직선에 나타낸 수의 범위 알아보기

독해 문제 1

수직선에 나타낸 수의 범위에 속하는 자연수가 6개일 때,/
㉠에 알맞은 자연수를 구하세요.

☺ 해결해 볼까? ❶ 수직선에 나타낸 수의 범위에 속하는 자연수 6개를 큰 수부터 차례로 쓰면?

답 $\boxed{}$, $\boxed{}$, $\boxed{}$, $\boxed{}$, $\boxed{}$, $\boxed{}$

❷ ㉠에 알맞은 자연수는?

답 _____

☺ 수 카드로 ■에 가장 가까운 수 만들어 어림하기

독해 문제 2

수 카드 5장을 한 번씩만 사용하여/ 50000에 가장 가까운 다섯 자리 수를 만들었습니다./
만든 수를/ 반올림하여 천의 자리까지 나타내세요.

☺ 해결해 볼까? ❶ 50000보다 작고 50000에 가장 가까운 수를 만들면?

답 _____

❷ 50000보다 크고 50000에 가장 가까운 수를 만들면?

답 _____

❸ 50000에 가장 가까운 수를 반올림하여 천의 자리까지 나타내면?

[전략] 위 ❶과 ❷ 중 50000에 더 가까운 수를 구하자.

답 _____

1 수의 범위와 어림하기

😊 최소 금액 구하기

우리 반 학생 19명에게/ 연필을 3자루씩 나누어 주려고 합니다./
문구점에서 연필을 10자루씩 묶어서/ 2000원에 판매하고 있습니다./
문구점에서 연필을 사려면/ 최소 얼마가 필요한가요?

 해결해 볼까? ❶ 필요한 연필은 몇 자루?

답 _____

❷ 사야 할 연필은 적어도 몇 묶음?

전략 > 모자라지 않게 사야 할 때의 어림 방법으로 구하자.   답 _____

❸ 문구점에서 연필을 살 때 필요한 최소 금액은?

답 _____

😊 어림 활용하기

바구니 4개에 초콜릿이 담겨 있습니다./
바구니마다 담겨 있는 초콜릿이/ 13개 초과 16개 이하일 때,/
바구니 4개에 담겨 있는 초콜릿이/
가장 많을 때와 가장 적을 때의 초콜릿 수의 차는/ 몇 개인가요?

 해결해 볼까? ❶ 바구니 4개에 담겨 있는 초콜릿이 가장 많을 때는 몇 개?

답 _____

❷ 바구니 4개에 담겨 있는 초콜릿이 가장 적을 때는 몇 개?

답 _____

❸ 바구니 4개에 담겨 있는 초콜릿이 가장 많을 때와 가장 적을 때의 초콜릿 수의 차는 몇 개?

답 _____

{ 수학 독해력 완성하기 }

세 수의 범위에 공통으로 속하는 자연수 구하기

연계학습 016쪽

독해 문제 5

세 수의 범위에 공통으로 속하는 자연수는/ 모두 몇 개인가요?

- 100 초과 123 미만인 수
- 96 이상 117 이하인 수
- 106 미만인 수

구하려는 것은? 세 수의 범위에 공통으로 속하는 자연수의 개수

어떻게 풀까?

1 세 수의 범위의 시작 부분 중 더 큰 수를, 끝 부분 중 가장 작은 수를 찾아 공통인 범위를 구하고,

100 초과	123 미만인 수
96 이상	117 이하인 수
	106 미만인 수

더 큰 수   가장 작은 수

2 위 1에서 구한 수의 범위에 속하는 자연수를 모두 구해 그 개수를 세자.

해결해 볼까?

❶ 세 수의 범위에 공통인 범위를 쓰면?

답 _____

❷ 위 ❶에서 구한 범위에 속하는 자연수를 모두 쓰면?

답 _____

❸ 세 수의 범위에 공통으로 속하는 자연수는 모두 몇 개?

답 _____

어림하여 ■가 되는 수의 범위 구하기

ⓒ 연계학습 017쪽

독해 문제 6

반올림하여 십의 자리까지 나타내어도 450이 되고, /
올림하여 십의 자리까지 나타내어도 450이 되는 /
자연수는 모두 몇 개인가요?

구하려는 것은? 반올림과 올림하여 십의 자리까지 각각 나타낸 수가 450이 되는 자연수의 개수

주어진 것은?
• 반올림하여 십의 자리까지 나타낸 수: ☐
• 올림하여 십의 자리까지 나타낸 수: ☐

어떻게 풀까?
❶ 반올림하여 십의 자리까지 나타낸 수가 450이 되는 수의 범위를 구하고,
❷ 올림하여 십의 자리까지 나타낸 수가 450이 되는 수의 범위를 구한 후,
❸ 위 ❶과 ❷에서 구한 수의 범위에 공통인 범위를 찾아 포함되는 자연수를 모두 세자.

해결해 볼까?

❶ 반올림하여 십의 자리까지 나타낸 수가 450이 되는 수의 범위를 쓰면?

전략 반올림하여 십의 자리까지 나타내면 ■가 되는 수의 범위: $\left(■-\dfrac{10}{2}\right)$ 이상 $\left(■+\dfrac{10}{2}\right)$ 미만

답 ☐ 이상 ☐ 미만

❷ 올림하여 십의 자리까지 나타낸 수가 450이 되는 수의 범위를 쓰면?

전략 올림하여 십의 자리까지 나타내면 ■가 되는 수의 범위: (■−10) 초과 ■ 이하

답 ☐ 초과 ☐ 이하

❸ 위 ❶과 ❷에서 구한 수의 범위에 공통인 범위를 쓰면?

답 _____

❹ 반올림과 올림하여 십의 자리까지 각각 나타낸 수가 450이 되는 자연수는 모두 몇 개?

답

수의 범위와 어림하기

1

21

 동전을 넣으면 최대한 지폐로 교환해주는 기계가 있습니다./
다음과 같이 100원짜리 동전을 넣었을 때,/
나오는 1000원짜리 지폐와 100원짜리 동전의 수를/ 각각 ☐ 안에 알맞게 써넣으세요.

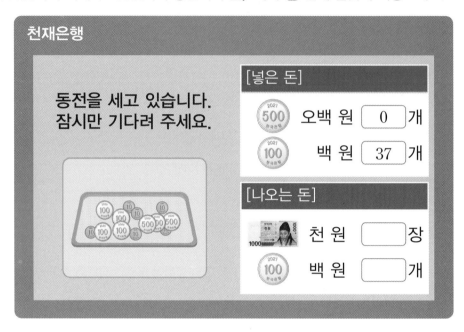

1

수의 범위와 어림하기

 택배 무게에 따라 자동으로 분류하여/ 통에 담아 주는 로봇이 있습니다./
로봇이 들고 있는 택배 무게를 보고/ 담아야 할 통에 맞게 선으로 이으세요.

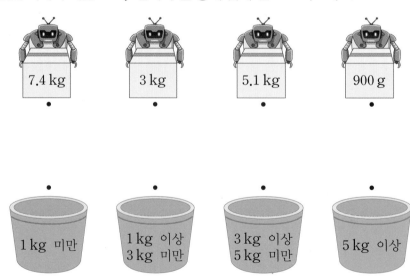

코딩 **3** 다음 코딩 프로그램을 실행했을 때/ 나오는 수를 쓰세요.

답 _____

융합 **4** 미세먼지 감지 센서와 스피커를 연결시켜/ 미세먼지 농도에 따라 음이 자동으로 나오는/ 프로그램이 있습니다./

지도에 나온 네 곳의 미세먼지 예보를 보고/

각각 어떤 음이 나오게 되는지 ◯ 안에 알맞게 써넣으세요.

미세먼지 농도	좋음 30 이하	보통 30 초과 80 이하	나쁨 80 초과 150 이하	매우 나쁨 150 초과
음	솔	라	시	도

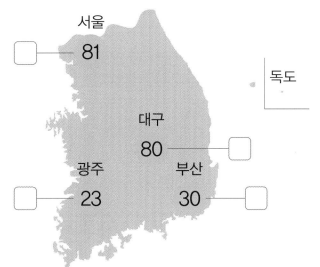

서울
81

독도

대구
80

광주
23

부산
30

수의 범위와 어림하기

[융합 5~6] '앉아 윗몸 앞으로 굽히기'의 등급 기준표입니다. 표를 보고 물음에 답하세요.

초등학교 5학년(여학생) 등급 기준표

범위(cm)	등급
1.0 미만	5등급
1.0 이상 5.0 미만	4등급
5.0 이상 7.0 미만	3등급
7.0 이상 10.0 미만	2등급
10.0 이상	1등급

융합 5 다음은 현주의 앉아 윗몸 앞으로 굽히기 기록입니다. /
현주는 몇 등급을 받게 되나요?

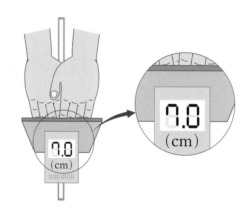

답 _____

융합 6 현주네 모둠 여학생들의 앉아 윗몸 앞으로 굽히기 기록입니다. /
위 융합 5 에서 현주와 같은 등급을 받는 학생의 이름을 쓰세요.

이름	소진	민지	하민	채리
기록(cm)	5.0	10.0	9.9	6.8

답 _____

놀이공원 입장료를 나타낸 표입니다./
서현이네 가족 중/ 12세인 서현, 13세인 언니, 50세인 아버지, 73세인 할머니가/ 놀이공원에 놀러
왔습니다./
서현이네 가족 4명이 내야 할/ 놀이공원 입장료는 모두 얼마인가요?

놀이공원 입장료

구분	경로 (65세 이상)	어른 (20세 이상 65세 미만)	청소년 (13세 이상 20세 미만)	어린이 (4세 이상 13세 미만)
요금(원)	40000	46000	43000	40000
• 4세 미만은 무료				

답 _____

 준하네 가족이 공원 주차장에 도착한 시각과 떠난 시각입니다./
공원 주차 요금표를 보고 준하네 가족은 주차 요금으로 얼마를 내야 하는지 구하세요.

공원 주차 요금표

10분 미만	무료
10분 이상 30분 미만	3000원
30분 이상 120분 미만	10000원
120분 이상	25000원

답 _____

올림의 활용 ⟲012쪽

1 수박 738통을 트럭에 모두 실으려고 합니다. 트럭 한 대에 100통씩 실을 수 있을 때, 트럭은 최소 몇 대가 필요한가요?

 풀이

답 _____

버림의 활용 ⟲013쪽

2 솜사탕 가게에 설탕이 648 g 있습니다. 솜사탕 한 개를 만드는 데 설탕 10 g이 필요하다면 솜사탕은 최대 몇 개까지 만들 수 있나요?

 풀이

답 _____

수 카드로 수 만들어 반올림하기 ⟲009쪽

3 수 카드 5장을 한 번씩만 사용하여 다섯 자리 수를 만들었습니다. 만든 수 중 가장 큰 수를 반올림하여 천의 자리까지 나타내세요.

2 7 8 5 3

풀이

답 _____

같은 범위에 속하는 것 찾기 008쪽

4 현석이네 모둠 남학생들의 왕복 오래달리기 기록과 등급 기준표입니다. 현석이의 등급이 3등급일 때, 현석이와 같은 등급에 속하는 학생의 이름을 쓰세요.

왕복 오래달리기 기록

이름	기록(회)	이름	기록(회)
영우	48	도혁	73
상현	77	우진	50

등급 기준표(초등학교 5학년 남학생용)

기록(회)	등급
100 이상 108 미만	1등급
73 이상 100 미만	2등급
50 이상 73 미만	3등급
29 이상 50 미만	4등급
22 이상 29 미만	5등급

▲ 학생건강체력평가

풀이

답 _____

수 카드로 수 만들어 반올림하기 015쪽

5 카드 5장을 한 번씩만 사용하여 소수 세 자리 수를 만들었습니다. 만든 수 중 가장 큰 수를 반올림하여 소수 둘째 자리까지 나타내세요.

풀이

답 _____

수직선에 나타낸 수의 범위 알아보기 ⓒ018쪽

6 수직선에 나타낸 수의 범위에 속하는 자연수가 5개일 때, ㉠에 알맞은 자연수를 구하세요.

㉠   34

풀이

답 _____

두 수의 범위에 공통으로 속하는 자연수 구하기 ⓒ016쪽

7 두 수의 범위에 공통으로 속하는 자연수는 모두 몇 개인가요?

- 76 초과 96 미만인 수
- 88 초과 100 이하인 수

풀이

답 _____

어림하여 ■가 되는 수의 범위 구하기 ⓒ017쪽

8 오늘 수확한 귤의 수를 올림하여 천의 자리까지 나타내었더니 2000개였습니다. 오늘 수확한 귤은 최소 몇 개인가요?

풀이

답 _____

최소 금액 구하기 019쪽

9 토끼 12마리에게 당근을 2개씩 나누어 주려고 합니다. 채소 가게에서 당근을 10개씩 묶어서 3000원에 판매하고 있습니다. 채소 가게에서 당근을 사려면 최소 얼마가 필요한가요?

▷ 풀이

답 _____

어림 활용하기 019쪽

10 상자 3개에 팽이가 담겨 있습니다. 상자마다 담겨 있는 팽이가 5개 이상 9개 미만일 때, 상자 3개에 담겨 있는 팽이가 가장 많을 때와 가장 적을 때의 팽이 수의 차는 몇 개인가요?

▷ 풀이

답 _____

2 분수의 곱셈

명수는 오늘도 씩씩하게 등교합니다.

명수는 깨어 있는 시간의 $\frac{2}{5}$ 를 학교에서 생활하고 있어요.

난 이 시간이 제일 좋아!

냠 냠

학교에서 생활하는 시간 중 $\frac{2}{3}$ 는 수업 시간이죠.

왜 이렇게 자꾸 눈이 감기지...

꾸벅

분수문제

꾸벅

명수가 깨어 있는 시간이 15시간일 때, 수업을 듣는 시간은 몇 시간일까요?

우리 명수~ 졸고 있는 걸 보니 이번 수업 시간 내용이 아주 자신 있나 보구나. 이리 나와서 이 문제 풀어 보렴~

으악! 밥을 조금만 먹을 걸...

명수는 깨어 있는 시간의 $\frac{2}{5}$는 학교에서 생활하고,/

그중 $\frac{2}{3}$는 수업을 듣습니다./

명수가 깨어 있는 시간이 15시간일 때,/

수업을 듣는 시간은 몇 시간인지 구하세요.

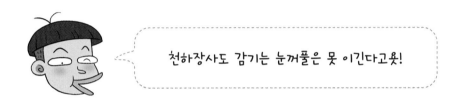

천하장사도 감기는 눈꺼풀은 못 이긴다고욧!

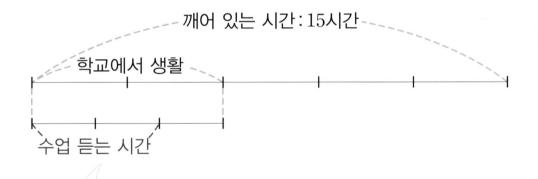

깨어 있는 시간 : 15시간

학교에서 생활

수업 듣는 시간

수업을 듣는 시간은 깨어 있는 시간의 $\frac{2}{5} \times \frac{2}{3}$

 식 ____ $\boxed{} \times \frac{2}{5} \times \frac{2}{3} = \boxed{}$ ____ 답 ____ 시간

① 전체의 얼마인지 구하기

해결 전략

예) 학급문고 전체 중에서 $\frac{1}{2}$이 과학책이고,

→ 전체의 $\frac{1}{2}$

과학책 의 $\frac{1}{3}$이 우주과학 책일 때,

과학책의 $\frac{1}{3}$ → 전체의 $\frac{1}{2}$의 $\frac{1}{3}$

우주과학 책은

전체의 $\frac{1}{2} \times \frac{1}{3}$이다.

> 과학책이 전체의 얼마인지 알아야 우주과학 책이 전체의 얼마인지 알 수 있어.

선행 문제 ①

냉장고에 있는 전체 달걀 중에서 $\frac{1}{3}$이 삶은 달걀이고, 삶은 달걀의 $\frac{2}{3}$를 먹었다면 먹은 달걀은 전체의 얼마인지 곱셈식으로 나타내세요.

풀이 ① 삶은 달걀 → 전체의 $\frac{\square}{3}$

② 먹은 달걀 → 삶은 달걀 의 $\frac{2}{3}$

→ (전체의 $\frac{\square}{3}$) 의 $\square$

→ 전체의 $\frac{\square}{3} \times \square$

실행 문제 ①

윤재네 반 전체 학생의 $\frac{4}{7}$는 남학생이고,/

남학생의 $\frac{3}{4}$은 태권도에 다닙니다./

윤재네 반에서 태권도를 다니는 남학생은/ 반 전체 학생의 몇 분의 몇인가요?

전략 남학생이 반 전체 학생의 얼마인지 구하자.

❶ 윤재네 반 남학생 → 반 전체 학생의 $\frac{\square}{7}$

❷ 윤재네 반에서 태권도를 다니는 남학생

→ 남학생의 $\square$

→ 반 전체 학생의 $\frac{\square}{7} \times \square = \square$

답 _____

쌍둥이 문제 1-1

상진이네 집 마당의 $\frac{2}{5}$는 텃밭이고,/

텃밭의 $\frac{1}{3}$에는 고추를 심었습니다./

고추를 심은 부분은/ 마당 전체의 몇 분의 몇인가요?

실행 문제 따라 풀기

❶

❷

답 _____

32

분수의 곱셈

2

② 전체를 1로 생각하여 나머지의 양 구하기

해결 전략

예 전체 리본의 $\dfrac{1}{3}$ 은 보라가 사용하고,

　└─ 전체의 $\dfrac{1}{3}$

나머지 의 $\dfrac{1}{5}$ 은 유나가 사용했을 때,

　└─ 전체의 $\left(1-\dfrac{1}{3}\right)$ ─ 나머지의 $\dfrac{1}{5}$

　　➡ 전체의 $\left(1-\dfrac{1}{3}\right)$ 의 $\dfrac{1}{5}$

유나가 사용한 리본은

전체의 $\left(1-\dfrac{1}{3}\right) \times \dfrac{1}{5}$ 이다.

보라가 사용한 양 ➡ 나머지의 양
➡ 유나가 사용한 양의 순서로 구해야 해.

선행 문제 ②

세진이는 용돈의 $\dfrac{1}{4}$ 을 간식을 사 먹는 데 쓰고, 남은 돈의 $\dfrac{3}{5}$ 을 저금하였다면 저금한 돈은 용돈의 얼마인지 곱셈식으로 나타내세요.

풀이 ① 간식 사 먹은 돈 ➡ 용돈의 $\boxed{}$

② 간식 사 먹고 남은 돈

➡ 용돈의 $1-\dfrac{\boxed{}}{4}=\dfrac{\boxed{}}{4}$

③ 저금한 돈 ➡ 남은 돈 의 $\dfrac{3}{5}$

➡ $\left(용돈의 \dfrac{\boxed{}}{4}\right)$ 의 $\boxed{}$

➡ 용돈의 $\dfrac{\boxed{}}{4} \times \boxed{}$

실행 문제 ②

세호가 피자 전체의 $\dfrac{3}{8}$ 을 먹고, /

나머지의 $\dfrac{2}{5}$ 를 동생이 먹었습니다. /

동생이 먹은 피자는 피자 전체의 몇 분의 몇인가요?

전략 전체의 (1-세호가 먹은 양)

❶ 세호가 먹고 남은 양

➡ 전체의 $1-\dfrac{\boxed{}}{8}=\dfrac{\boxed{}}{8}$

❷ 동생이 먹은 양

➡ 세호가 먹고 남은 양의 $\boxed{}$

➡ 전체의 $\dfrac{\boxed{}}{8} \times \boxed{} = \boxed{}$

답 _____

쌍둥이 문제 2-1

도화지 전체의 $\dfrac{3}{7}$ 에는 집을 그리고, /

나머지의 $\dfrac{3}{4}$ 에는 나무를 그렸습니다. /

나무를 그린 부분은 도화지 전체의 몇 분의 몇인가요?

실행 문제 따라 풀기

❶

❷

답 _____

{ 문제 **해결력** 기르기 }

③ 색칠한 부분의 넓이 구하기

선행 문제 해결 전략

예) 넓이가 9 cm²인 직사각형을 똑같이 셋으로 나누었을 때, 색칠한 부분의 넓이 구하기

① 색칠한 부분은 직사각형의 얼마인지 구하기

> 직사각형을 똑같이 **3**으로 나눈 것 중의 **2** → 직사각형의 $\dfrac{2}{3}$

② 색칠한 부분의 넓이 구하기

> (직사각형 넓이) $\times \dfrac{2}{3}$ → $9 \times \dfrac{2}{3} = 6$ (cm²)

선행 문제 ③

넓이가 15 cm²인 직사각형을 똑같이 다섯으로 나누었을 때, 색칠한 부분의 넓이를 구하세요.

풀이

① 색칠한 부분은 직사각형의 얼마인지 구하기

> 직사각형의 $\dfrac{\square}{5}$

② 색칠한 부분의 넓이 구하기

> (직사각형 넓이) $\times \dfrac{\square}{5}$

$= \boxed{} \times \dfrac{\square}{5} = \boxed{}$ (cm²)

실행 문제 ③

넓이가 $7\dfrac{1}{9}$ m²인 정사각형을/

다음과 같이 똑같이 넷으로 나누었을 때,/ 색칠한 부분의 넓이는 몇 m²인가요?

❶ 색칠한 부분은 정사각형의 $\dfrac{\square}{\square}$

전략 ▷ (정사각형의 넓이)×(❶에서 구한 분수)

❷ (색칠한 부분의 넓이)

$= \boxed{} \times \dfrac{\square}{\square} = \boxed{}$ (m²)

답 _____

쌍둥이 문제 3-1

넓이가 $\dfrac{5}{7}$ m²인 원을/

다음과 같이 똑같이 다섯으로 나누었을 때,/ 색칠한 부분의 넓이는 몇 m²인가요?

실행 문제 따라 풀기

❶

❷

답 _____

4 **수 카드로 만든 진분수의 곱 구하기**

선행 문제 해결 전략

• 계산 결과가 가장 작은 진분수의 곱 만들기

가장 작은 분수 만드는 방법
분자를 가장 작게, 분모를 가장 크게

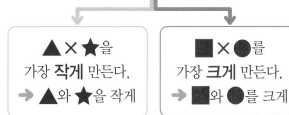

선행 문제 4

수 카드를 ☐ 안에 한 번씩 써넣어 계산 결과가 가장 작은 식을 만드세요.

풀이 계산 결과가 가장 작은 식을 만들려면
분자의 곱을 가장 (작게 , 크게) 만들고,
분모의 곱을 가장 (작게 , 크게) 만든다.

계산 결과가 가장 작은 식: ☐/☐ × ☐/☐

실행 문제 4

수 카드 ③ , ⑤ , ⑥ , ⑦ 을 한 번씩만 사용하여/ 2개의 진분수를 만들어 곱하려고 합니다./ 계산 결과가 가장 작을 때의 두 진분수의 곱을 구하세요.

전략 분자는 작을수록, 분모는 클수록 분수는 작아진다.

❶ 분자에 사용할 수 카드 : ☐ , ☐

  분모에 사용할 수 카드 : ☐ , ☐

전략 위 ❶의 수 카드를 분자와 분모에 각각 놓고 곱을 구하자.

❷ 계산 결과가 가장 작은 식 :

답 _____

쌍둥이 문제 4-1

수 카드 ② , ④ , ⑦ , ⑨ 를 한 번씩만 사용하여/ 2개의 진분수를 만들어 곱하려고 합니다./ 계산 결과가 가장 작을 때의 두 진분수의 곱을 구하세요.

실행 문제 따라 풀기

❶

❷

답 _____

{ 문제 **해결력** 기르기 }

⑤ 시간을 분수로 나타내어 계산하기

선행 문제 해결 전략

• 초 단위를 분 단위로 나타내기

$$60\text{초} = 1\text{분}$$

$\times \dfrac{1}{60}$ 　　$\times \dfrac{1}{60}$

$$1\text{초} = \dfrac{1}{60}\text{분}$$

분 단위를 시간 단위로 나타낼 때에도
60분=1시간이니까

$1\text{분} = \dfrac{1}{60}\text{시간}$이야.

예 $4\text{분 }20\text{초} = 4\dfrac{20}{60}\text{분} = 4\dfrac{1}{3}\text{분}$

초 단위를 분 단위로 나타내기　기약분수로 나타내기

선행 문제 ⑤

☐ 안에 알맞은 수를 써넣으세요.

(1) $35\text{초} = \dfrac{\Box}{60}\text{분} = \dfrac{\Box}{12}\text{분}$

(2) $3\text{분 }25\text{초} = 3\dfrac{\Box}{60}\text{분} = 3\dfrac{\Box}{12}\text{분}$

(3) $2\text{시간 }10\text{분} = 2\dfrac{\Box}{60}\text{시간} = 2\dfrac{\Box}{6}\text{시간}$

실행 문제 ⑤

소라는 자전거로 한 시간에 $13\dfrac{1}{3}$ km를 갑니다./ 같은 빠르기로/ 45분 동안 갈 수 있는 거리는 몇 km인가요?

전략 $1\text{분} = \dfrac{1}{60}\text{시간}$

❶ 45분을 시간 단위로 나타내기:

$$45\text{분} = \dfrac{\Box}{60}\text{시간} = \dfrac{\Box}{4}\text{시간}$$

전략 (한 시간 동안 가는 거리)×(❶에서 나타낸 시간)

❷ (45분 동안 갈 수 있는 거리)

$$= 13\dfrac{1}{3} \times \dfrac{\Box}{4} = \Box \, (\text{km})$$

답 _____

쌍둥이 문제 5-1

어느 트럭이 1분에 $1\dfrac{2}{7}$ km를 갑니다./ 같은 빠르기로/ 2분 40초 동안 갈 수 있는 거리는 몇 km인가요?

실행 문제 따라 풀기

❶

❷

답 _____

6 ■가 될 수 있는 자연수 구하기

선행 문제 해결 전략

$$\frac{1}{7} \times \frac{1}{\blacksquare} > \frac{1}{26}$$

■가 될 수 있는 1보다 큰 자연수를 구하려면?

↓

$$\frac{1}{7 \times \blacksquare} > \frac{1}{26}$$

곱을 간단히 나타내고,

↓

$$7 \times \blacksquare < 26$$

단위분수끼리의 분모의 크기를 비교하여

↓

$$\blacksquare = 2, 3$$

■를 구한다.

선행 문제 6

■가 될 수 있는 자연수를 모두 구하세요.

(1) $\frac{1}{2 \times \blacksquare} > \frac{1}{5}$

풀이 분모의 크기를 비교하면 $2 \times \blacksquare \bigcirc 5$
따라서 ■가 될 수 있는 자연수는

_____

(2) $\frac{1}{4 \times \blacksquare} > \frac{1}{13}$

풀이 분모의 크기를 비교하면 $4 \times \blacksquare \bigcirc 13$
따라서 ■가 될 수 있는 자연수는

_____

실행 문제 6

■가 될 수 있는 1보다 큰 자연수는/
모두 몇 개인가요?

$$\frac{1}{5} \times \frac{1}{\blacksquare} > \frac{1}{24}$$

❶ 곱을 간단히 나타내기 : $\dfrac{\boxed{}}{\boxed{} \times \blacksquare} > \dfrac{1}{24}$

전략 단위분수는 분모가 작을수록 크다.

❷ 분모의 크기 비교하기 : $\boxed{} \times \blacksquare \bigcirc 24$

전략 위 ❷의 크기 비교를 만족하는 ■를 모두 구하자.

❸ ■가 될 수 있는 1보다 큰 자연수 :

_____ → $\boxed{}$개

답 _____

쌍둥이 문제 6-1

■가 될 수 있는 1보다 큰 자연수는/
모두 몇 개인가요?

$$\frac{1}{\blacksquare} \times \frac{1}{7} > \frac{1}{40}$$

실행 문제 따라 풀기

❶

❷

❸

답 _____

분수의 곱셈

2

37

{ 수학 사고력 키우기 }

😊 **전체의 얼마인지 구하기**

ⓒ 연계학습 032쪽

대표 문제 1 진하가 학교에서 생활하는 시간의 $\frac{2}{3}$ 는 수업 시간이고, /

그중 $\frac{1}{4}$ 은 수학 수업 시간입니다. /

진하가 학교에서 생활하는 시간이 6시간일 때, / 수학 수업 시간은 몇 시간인가요?

🐻 **주어진 것은?**

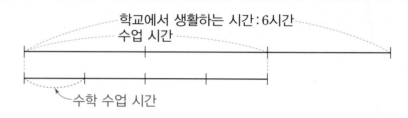

🐻 **해결해 볼까?**

❶ 수학 수업 시간은 학교에서 생활하는 시간의 얼마인지 곱셈식으로 나타내기

전략 > 학교에서 생활하는 시간의 $\frac{2}{3}$ 의 $\frac{1}{4}$ 을 곱셈식으로 나타내자.

식 _____

❷ 수학 수업 시간은 몇 시간?

전략 > (학교에서 생활하는 시간) × (❶에서 나타낸 곱셈식)

답 _____

쌍둥이 문제 1-1

효진이는 전체 색종이 수의 $\frac{1}{7}$ 을 종이접기에 사용하고, /

그중 $\frac{3}{4}$ 은 종이학을 접었습니다. /

색종이가 140장 있었다면 / 효진이가 종이학을 접는 데 사용한 색종이는 몇 장인가요?

😊 **대표 문제 따라 풀기**

❶

❷

답 _____

전체를 1로 생각하여 나머지의 양 구하기

연계학습 033쪽

대표 문제 2

보람이는 어제까지 동화책 전체의 $\frac{5}{6}$를 읽었고, /

오늘은 어제까지 읽고 남은 나머지의 $\frac{4}{5}$를 읽었습니다. /

동화책의 전체 쪽수가 150쪽일 때, / 오늘 읽은 동화책은 몇 쪽인가요?

주어진 것은?

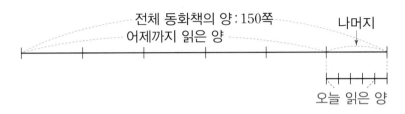

전체 동화책의 양 : 150쪽
어제까지 읽은 양
나머지
오늘 읽은 양

해결해 볼까?

❶ 어제까지 읽고 남은 나머지는 동화책 전체의 몇 분의 몇?

전략 ▷ 전체의 (1−어제까지 읽은 양)

답 _____

❷ 오늘 읽은 동화책은 전체의 얼마인지 곱셈식으로 나타내기

전략 ▷ ❶에서 구한 양의 $\frac{4}{5}$를 곱셈식으로 나타내자.

식 _____

❸ 오늘 읽은 동화책은 몇 쪽?

전략 ▷ (전체 쪽수)×(❷에서 나타낸 곱셈식)

답 _____

쌍둥이 문제 2-1

리본 전체의 $\frac{1}{3}$은 선물을 포장하는 데 썼고, /

나머지의 $\frac{5}{8}$는 장식품을 만드는 데 썼습니다. /

리본 전체의 길이가 120 cm일 때, / 장식품을 만드는 데 쓴 리본은 몇 cm인가요?

대표 문제 따라 풀기

❶

❷

❸

답 _____

{ 수학 **사고력** 키우기 }

색칠한 부분의 넓이 구하기

연계학습 034쪽

대표 문제 3 오른쪽과 같이 가로가 $7\frac{3}{5}$ cm, 세로가 $5\frac{5}{6}$ cm인 직사각형을/
똑같이 여섯으로 나누었습니다./
색칠한 부분의 넓이는 몇 cm²인가요?

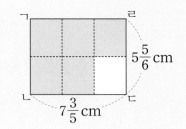

$5\frac{5}{6}$ cm

$7\frac{3}{5}$ cm

어떻게 풀까?

1. 가로와 세로를 곱해 직사각형 ㄱㄴㄷㄹ의 넓이를 구하고,
2. 색칠한 부분은 전체의 얼마인지 분수로 나타내어 직사각형 ㄱㄴㄷㄹ의 넓이에 곱해 색칠한 부분의 넓이를 구하자.

해결해 볼까?

❶ 직사각형 ㄱㄴㄷㄹ의 넓이는 몇 cm²?

답 _____

❷ 색칠한 부분은 직사각형 ㄱㄴㄷㄹ의 몇 분의 몇?

전략 똑같이 6으로 나눈 것 중의 5를 분수로 나타내자.

답 _____

❸ 색칠한 부분의 넓이는 몇 cm²?

전략 (❶에서 구한 직사각형의 넓이)×(❷에서 구한 분수)

답 _____

쌍둥이 문제 3-1 오른쪽과 같이 한 변의 길이가 $2\frac{2}{7}$ m인 정사각형을/
똑같이 여덟으로 나누었습니다./
색칠한 부분의 넓이는 몇 m²인가요?

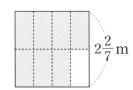

$2\frac{2}{7}$ m

대표 문제 따라 풀기

❶

❷

❸

답 _____

2

분수의 곱셈

🙂 수 카드로 만든 진분수의 곱 구하기

ⓒ 연계학습 035쪽

대표 문제 ④ 수 카드 6장을 한 번씩만 사용하여/ 3개의 진분수를 만들어 곱하려고 합니다./
계산 결과가 가장 작을 때의 세 진분수의 곱을 구하세요.

| 1 | 2 | 3 | 5 | 8 | 9 |

🐻 **어떻게 풀까?**

1️⃣ **가장 작은 수부터** 차례로 세 수를 골라 **분자**에 놓고,
2️⃣ 가장 큰 수부터 차례로 세 수를 골라 분모에 놓고,
3️⃣ 분자는 분자끼리, 분모는 분모끼리 곱해 세 진분수의 곱을 구하자.

🐻 **해결해 볼까?**

❶ 분자에 사용할 수 카드를 모두 쓰면?

전략 ▷ 가장 작은 수부터 차례로 세 수를 고르자.

답 ☐, ☐, ☐

❷ 분모에 사용할 수 카드를 모두 쓰면?

전략 ▷ 가장 큰 수부터 차례로 세 수를 고르자.

답 ☐, ☐, ☐

❸ 계산 결과가 가장 작을 때의 세 진분수의 곱은?

전략 ▷ 분자는 분자끼리, 분모는 분모끼리 곱하자.

답 _____

쌍둥이 문제 4-1

수 카드 6장을 한 번씩만 사용하여/ 3개의 진분수를 만들어 곱하려고 합니다./
계산 결과가 가장 작을 때의 세 진분수의 곱을 구하세요.

| 1 | 5 | 6 | 7 | 8 | 9 |

🙂 **대표 문제 따라 풀기**

❶

❷

❸

답 _____

😊 **시간을 분수로 나타내어 계산하기**

ⓒ 연계학습 036쪽

대표 문제 ⑤ 30분 동안 $41\frac{1}{4}$ km를 가는 배가 있습니다. /

이 배가 같은 빠르기로 / 1시간 12분 동안 갈 수 있는 거리는 몇 km인가요?

😊 **구하려는 것은?**

30분 동안 $41\frac{1}{4}$ km를 가는 배가 1시간 12분 동안 갈 수 있는 거리

😊 **어떻게 풀까?**

1 30분 동안 가는 거리의 2배를 하여 **한 시간 동안 가는 거리**를 구하고,

2 1시간 12분을 **시간 단위로 나타내어 1**에서 구한 거리와 곱하자.

😊 **해결해 볼까?**

❶ 배가 한 시간 동안 갈 수 있는 거리는 몇 km?

전략 ▷ 30분 동안 가는 거리의 2배를 하자.

답 _____

❷ 1시간 12분을 시간 단위로 나타내면 몇 시간?

전략 ▷ 1분 = $\frac{1}{60}$ 시간

답 _____

❸ 배가 1시간 12분 동안 갈 수 있는 거리는 몇 km?

전략 ▷ (❶에서 구한 거리) × (❷에서 나타낸 시간)

답 _____

2

분수의 곱셈

42

쌍둥이 문제 5-1

어느 약수터에서 물이 30초 동안 $3\frac{4}{5}$ L 나옵니다. /

물이 일정한 양으로 나온다면 / 3분 45초 동안 받을 수 있는 물은 몇 L인가요?

😊 **대표 문제 따라 풀기**

❶

❷

❸

답 _____

■가 될 수 있는 자연수 구하기

연계학습 037쪽

대표 문제 6

■가 될 수 있는 자연수를 모두 구하세요.

$$\frac{1}{30} < \frac{1}{■} \times \frac{1}{4} < \frac{1}{10}$$

어떻게 풀까?

1 간단히 나타낼 수 있는 부분은 간단히 나타낸 후,

2 분자가 모두 1로 같으므로 분모의 크기를 비교하여 ■가 될 수 있는 자연수를 구하자.

해결해 볼까?

❶ 두 단위분수의 곱을 간단히 나타내기

전략 분자는 분자끼리, 분모는 분모끼리 곱하자.

$$\frac{1}{30} < \frac{1}{■} \times \frac{1}{4} < \frac{1}{10} \quad \Rightarrow \quad \frac{1}{30} < \frac{\boxed{}}{\boxed{}} < \frac{1}{10}$$

❷ 분모의 크기 비교하기

전략 단위분수는 분모가 작을수록 크다.

답  $10 < \boxed{} < 30$

❸ ■가 될 수 있는 자연수를 모두 구하면?

전략 위 ❷의 크기 비교를 만족하는 ■를 구하자.   답 _____

쌍둥이 문제 6-1

■가 될 수 있는 자연수를 모두 구하세요.

$$\frac{1}{64} < \frac{1}{8} \times \frac{1}{■} < \frac{1}{40}$$

 **대표 문제 따라 풀기**

❶

❷

❸

답 _____

{ 수학 독해력 완성하기 }

😊 단위를 바꾸어 구하기

독해 문제 1

아침을 먹고 마신 우유는 1 L의 $\frac{1}{4}$이고, /

점심을 먹고 마신 우유는 1 L의 $\frac{1}{5}$입니다. /

아침과 점심을 먹고 마신 우유는 모두 몇 mL인가요?

😊 **해결해 볼까?**

❶ 1 L는 몇 mL?

답 _____

❷ 아침과 점심을 먹고 각각 마신 우유는 몇 mL?

답▶ 아침: _____ , 점심: _____

❸ 아침과 점심을 먹고 마신 우유는 모두 몇 mL?

답 _____

😊 크기가 1인 직사각형 그리기

독해 문제 2

오른쪽에 색칠된 직사각형은 어떤 직사각형의 $\frac{5}{4}$입니다. /

색칠된 직사각형에 크기가 1인 어떤 직사각형을 그리세요.

$\frac{5}{4}$

😊 **해결해 볼까?**

❶ 위 색칠된 직사각형을 5등분하기

전략▷ 분자만큼 나누어 크기가 $\frac{1}{4}$인 직사각형을 만들자.

❷ 위 색칠된 직사각형에 크기가 1인 어떤 직사각형 그리기

전략▷ (위 ❶에서 만든 크기가 $\frac{1}{4}$인 직사각형) × 4 = (크기가 1인 직사각형)

수 카드로 만든 대분수의 곱 구하기

독해 문제 3

수 카드 3장을 한 번씩만 사용하여 대분수를 만들려고 합니다. /
만들 수 있는 가장 큰 대분수와 가장 작은 대분수의 /
곱을 구하세요.

$\boxed{1}$ $\boxed{4}$ $\boxed{5}$

해결해 볼까? ❶ 만들 수 있는 가장 큰 대분수와 가장 작은 대분수는?

전략 ▷ 자연수 부분에 가장 큰 수를 놓고 나머지로 진분수를 만들어 가장 큰 대분수를 만들고,
자연수 부분에 가장 작은 수를 놓고 나머지로 진분수를 만들어 가장 작은 대분수를 만들자.

답 가장 큰 대분수: _____, 가장 작은 대분수: _____

❷ 만들 수 있는 가장 큰 대분수와 가장 작은 대분수의 곱을 구하면?

답 _____

바르게 계산한 값 구하기

독해 문제 4

어떤 수에 $3\frac{1}{2}$을 곱해야 할 것을 /

잘못하여 더했더니 $5\frac{3}{4}$이 되었습니다. /

바르게 계산하면 얼마인지 구하세요.

해결해 볼까? ❶ 어떤 수를 □라 하여 잘못 계산한 식을 세우면?

식 _____

❷ 어떤 수를 구하면?

전략 ▷ 위 ❶에서 □를 구하자.

답 _____

❸ 바르게 계산하면 얼마인지 구하세요.

답 _____

2

분수의 곱셈

45

시간을 분수로 나타내어 계산하기

○ 연계학습 042쪽

독해 문제 5

하루에 1분 50초씩 빨라지는 시계가 있습니다. /
이 시계를 오늘 오전 9시에 정확하게 맞추었다면 /
6일 후 오전 9시에 이 시계는 / 오전 몇 시 몇 분을 가리키나요?

😊 구하려는 것은? 하루에 1분 50초씩 빨라지는 시계가 ☐ 일 후 오전 9시에 가리키는 시각

🐻 주어진 것은?
• 시계가 하루에 1분 50초씩 빨라짐.
• 오늘 오전 9시에 시계를 정확하게 맞춤.

😀 어떻게 풀까?
1 하루에 빨라지는 시간을 **분 단위로 간단히 나타내고,**
2 위 1 에서 나타낸 시간에 6을 곱해 6일 동안 빨라지는 시간을 구하자.

9시 → 1일 후 → 9시 ■분
9시 → **6**일 후 → 9시 (■ × **6**)분

😀 해결해 볼까?

❶ 하루에 빨라지는 시간을 분 단위로 나타내면 몇 분?

전략 1분 50초를 분 단위로 나타내자.

답 _____

❷ 6일 후 오전 9시까지 빨라지는 시간은 몇 분?

답 _____

❸ 6일 후 오전 9시에 이 시계가 가리키는 시각은 오전 몇 시 몇 분?

전략 위 ❷에서 구한 시간만큼 빨라진 시각을 구하자.

답 _____

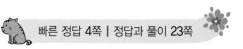

전체를 1로 생각하여 나머지의 양 구하기

연계학습 039쪽

독해 문제 6

주하는 피아노 학원에서 연주곡을 배우고 있습니다. /

지난달까지 전체의 $\dfrac{2}{3}$ 를 배웠고, /

이번 달은 지난달까지 배우고 남은 나머지의 $\dfrac{2}{5}$ 를 배웠습니다. /

연주곡이 모두 105곡일 때, / 이번 달까지 배운 곡은 몇 곡인가요?

구하려는 것은? 이번 달까지 배운 곡 수

주어진 것은?

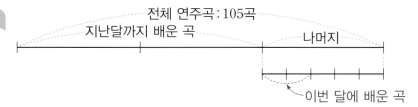

어떻게 풀까?

1 (이번 달까지 배운 곡)=(지난달까지 배운 곡)+(이번 달에 배운 곡)이므로 이번 달에 배운 곡이 전체의 얼마인지 먼저 구하고,

2 위 **1**에서 주어진 식을 이용해 이번 달까지 배운 곡이 전체의 얼마인지 구한 후,

3 전체 곡 수에 **2**에서 구한 분수를 곱하자.

해결해 볼까?

❶ 지난달까지 배우고 남은 나머지는 전체의 몇 분의 몇?

답

❷ 이번 달에 배운 곡은 전체의 몇 분의 몇?

전략 (지난달까지 배우고 남은 나머지)의 $\dfrac{2}{5}$ 를 구하자.

답

❸ 이번 달까지 배운 곡은 전체의 몇 분의 몇?

전략 (지난달까지 배운 곡)+(❷에서 구한 이번 달에 배운 곡) 답

❹ 이번 달까지 배운 곡은 몇 곡?

답

2

분수의 곱셈

47

융합 **1** 점음표의 박 수는 본래 음표 박 수의 $\dfrac{3}{2}$배입니다.
물음에 답하세요.

⑴ 사분음표(♩)는 1박입니다. 점사분음표(♩.)는 몇 박인가요?

답 _____

⑵ 팔분음표(♪)는 $\dfrac{1}{2}$박입니다. 점팔분음표(♪.)는 몇 박인가요?

답 _____

코딩 **2** 다음과 같은 순서도가 있습니다.

$\dfrac{3}{5}$을 입력했을 때 나오는 값을 구하세요.

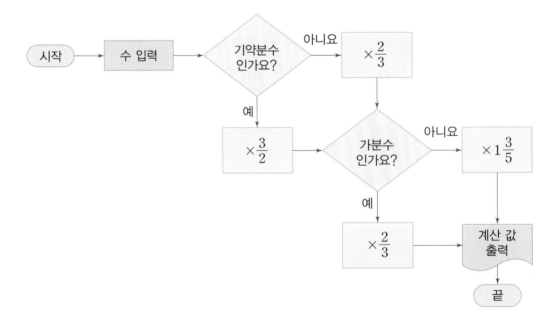

답 _____

분수의 곱셈

[창의 3 ~ 5] 다음은 가로가 30 cm, 세로가 15 cm인 직사각형 모양의 종이입니다. /
물음에 답하세요.

1 cm
1 cm

 종이의 넓이는 몇 cm²인가요?

답

 직사각형 모양인 가의 넓이는 종이 전체 넓이의 $\frac{1}{6}$입니다. /

가의 넓이를 구하고, /

가를 종이에 빨간색으로 색칠하여 나타내세요.

답

 직사각형 모양인 나의 넓이는 가를 제외한 나머지 부분의 $\frac{1}{3}$입니다. /

나의 넓이를 구하고, /

나를 종이에 파란색으로 색칠하여 나타내세요.

답

분수의 곱셈

49

창의·융합·코딩 체험하기

[코딩 6 ~ 7] 도형을 그릴 수 있는 코딩 프로그램입니다./
물음에 답하세요.

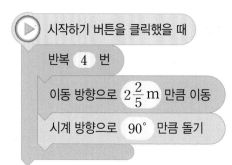

▶ 시작하기 버튼을 클릭했을 때

반복 4 번

이동 방향으로 $2\frac{2}{5}$ m 만큼 이동

시계 방향으로 90° 만큼 돌기

코딩 6 시작하기 버튼을 클릭했을 때,/
그려지는 도형에 ○표 하세요.

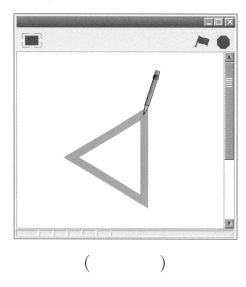

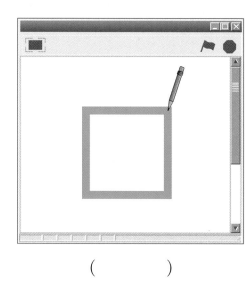

(   )   (   )

코딩 7 시작하기 버튼을 클릭했을 때,/
그려지는 도형의 넓이는 몇 m²인가요?

답 _____

8

색칠한 전체 삼각형의 넓이가 / 바로 전에 색칠한 전체 삼각형 넓이의 $\frac{3}{4}$ 이 되는 /

시에르핀스키 삼각형입니다. /

첫 번째에서 색칠한 삼각형의 넓이가 $2\frac{1}{3}$ cm² 일 때, /

세 번째에서 색칠한 전체 삼각형의 넓이를 구하세요.

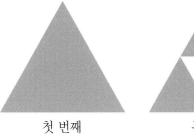

| 첫 번째 | 두 번째 | 세 번째 |

(1) 두 번째에서 색칠한 전체 삼각형의 넓이는 몇 cm²인가요?

답

(2) 세 번째에서 색칠한 전체 삼각형의 넓이는 몇 cm²인가요?

답

분수의 곱셈

51

 9

한 시간 동안의 비행 거리가 다음과 같은 두 개의 드론이 있습니다. /
두 드론이 같은 방향으로 2시간 동안 비행했을 때, /
두 드론 사이의 거리는 몇 km인가요?

$1\frac{5}{7}$ km $2\frac{1}{9}$ km

답

시간을 분수로 나타내어 계산하기 036쪽

1 오토바이가 1분에 $\frac{7}{8}$ km를 갑니다. 같은 빠르기로 6분 24초 동안 갈 수 있는 거리는 몇 km인가요?

풀이

답 _____

■가 될 수 있는 자연수 구하기 037쪽

2 오른쪽 식에서 ■가 될 수 있는 1보다 큰 자연수는 모두 몇 개인가요?

$$\frac{1}{6} \times \frac{1}{■} > \frac{1}{30}$$

풀이

답 _____

전체의 얼마인지 구하기 038쪽

3 어느 양계장에서 닭이 낳은 달걀의 $\frac{7}{9}$ 을 팔았는데, 그중 $\frac{1}{3}$ 은 구워서 팔았습니다. 닭이 낳은 달걀이 모두 216개였다면 구워서 판 달걀은 몇 개인가요?

풀이

답 _____

전체를 1로 생각하여 나머지의 양 구하기 039쪽

4 세진이는 온라인 게임 머니 전체의 $\frac{7}{10}$을 캐릭터의 힘을 키우는 데 썼고, 나머지의 $\frac{3}{5}$을 캐릭터를 꾸미는 데 썼습니다. 가지고 있던 게임 머니가 250이었을 때, 캐릭터를 꾸미는 데 쓴 게임 머니는 얼마인가요?

풀이▶

답

색칠한 부분의 넓이 구하기 040쪽

5 가로가 $9\frac{3}{5}$ m, 세로가 $3\frac{1}{8}$ m인 직사각형을 똑같이 아홉으로 나누었습니다. 색칠한 부분의 넓이는 몇 m²인가요?

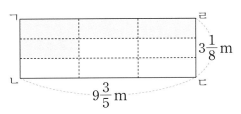

풀이▶

답

2

분수의 곱셈

수 카드로 만든 진분수의 곱 구하기 ⟳041쪽

6 수 카드 2, 4, 5, 6, 7, 9 를 한 번씩만 사용하여 3개의 진분수를 만들어 곱하려고 합니다. 계산 결과가 가장 작을 때의 세 진분수의 곱을 구하세요.

풀이

답 _____

시간을 분수로 나타내어 계산하기 ⟳042쪽

7 어느 수도꼭지에서 물이 30분 동안 $14\frac{1}{4}$ L 나옵니다. 물이 일정한 양으로 나온다면 55분 동안 받을 수 있는 물은 몇 L인가요?

풀이

답 _____

■가 될 수 있는 자연수 구하기 ⟳043쪽

8 오른쪽 식에서 ■가 될 수 있는 자연수를 모두 구하세요.

$$\frac{1}{54} < \frac{1}{■} \times \frac{1}{9} < \frac{1}{23}$$

풀이

답 _____

바르게 계산한 값 구하기 ⟲045쪽

9 어떤 수에 $1\frac{1}{3}$을 곱해야 할 것을 잘못하여 뺐더니 $2\frac{1}{6}$이 되었습니다. 바르게 계산하면 얼마인지 구하세요.

풀이▶

답

시간을 분수로 나타내어 계산하기 ⟲046쪽

10 하루에 2분 15초씩 느려지는 시계가 있습니다. 이 시계를 오늘 오전 10시에 정확하게 맞추었다면 8일 후 오전 10시에 이 시계는 오전 몇 시 몇 분을 가리키나요?

풀이▶

답

하루에 느려지는 시간을 분 단위로 간단히 나타내어 계산해 봐.

2

분수의 곱셈

55

3 합동과 대칭

FUN 한 기억 노트

모양과 크기가 같아서 포개었을 때
완전히 겹치는 두 도형을 서로 ☐ 이라고 해.

대응점

대응각

대응변

대응점은

- 점 ㄱ과 점 ㅁ
- 점 ㄴ과 점 ㅂ
- 점 ㄷ과 점 ☐
- 점 ㄹ과 점 ㅇ

대응변은

- 변 ㄱㄴ과 변 ㅁㅂ
- 변 ㄴㄷ과 변 ㅂㅅ
- 변 ㄷㄹ과 변 ☐
- 변 ㄹㄱ과 변 ㅇㅁ

대응각은

- 각 ㄱㄴㄷ과 각 ㅁㅂㅅ
- 각 ㄴㄷㄹ과 각 ㅂㅅㅇ
- 각 ㄷㄹㄱ과 각 ㅅㅇㅁ
- 각 ㄹㄱㄴ과 각 ㅇㅁㅂ

 정답 확인 ≫

[   ] : 한 직선을 따라 접었을 때 완전히 겹치는 도형

← 대칭축

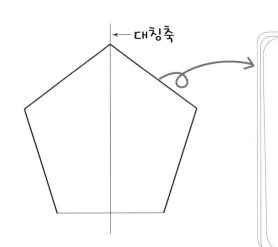

선대칭도형의 성질을 써 보자. ✏️

(1) 각각의 <u>대응변</u>의 길이가 서로 같습니다.

(2) 각각의 <u>대응각</u>의 크기가 서로 같습니다.

(3) <u>대칭축</u>은 대응점끼리 이은 선분을 둘로 똑같이 나눕니다.

(4) 대응점끼리 이은 선분은 대칭축과 <u>수직</u>으로 만납니다.

[   ] : 한 도형을 어떤 점을 중심으로 180° 돌렸을 때 처음 도형과 완전히 겹치는 도형

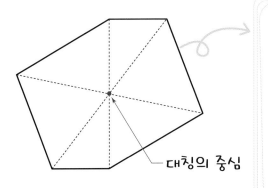

대칭의 중심

점대칭도형의 성질을 써 보자. ✏️

(1) 각각의 <u>대응변</u>의 길이가 서로 같습니다.

(2) 각각의 <u>대응각</u>의 크기가 서로 같습니다.

(3) <u>대칭의 중심</u>은 대응점끼리 이은 선분을 둘로 똑같이 나눕니다.

문제 해결력 기르기

① 선대칭도형에서 대칭축의 수 구하기

선행 문제 해결 전략

예 선대칭도형의 대칭축 알아보기

꼭짓점을
지나는 대칭축

변을 반으로
나누는 대칭축

대칭축은 선대칭도형을
똑같은 모양 2개로 나누어.

주의 그은 직선이 대칭축이 아닌 경우

예

➡ 직선을 따라 접었을 때 완전히 겹치지
않으므로 대칭축이 아니다.

선행 문제 ①

오른쪽 정사각형은 선대칭도형입니
다. 대칭축을 모두 그리세요.

풀이 ① 꼭짓점을 지나는 대칭축 모두 그리기

② 변을 반으로 나누는 대칭축 모두 그리기

실행 문제 ①

오른쪽 선대칭도형에서 대칭축은
모두 몇 개인가요?

전략 꼭짓점을 지나는 대칭축과 변을 반으로 나누는 대칭축을
그리자.

❶ 대칭축 그리기

전략 ❶에서 그린 대칭축의 수를 쓰자.

❷ 대칭축은 모두 [ ]개

답 _____

쌍둥이 문제 1-1

오른쪽 선대칭도형에서 대칭축은
모두 몇 개인가요?

실행 문제 따라 풀기

❶

❷

답 _____

② 선대칭도형에서 각도 구하기

선행 문제 해결 전략

• 선대칭도형의 성질

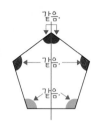

접었을 때 완전히 겹치므로 대응각의 크기는 서로 같다.

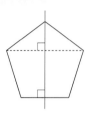

대응점끼리 이은 선분은 대칭축과 수직으로 만난다.

 선대칭도형은 대칭축을 따라 접었을 때 완전히 겹치므로 양쪽 도형은 서로 **합동**이야.

선행 문제 ②

직선 ㄱㄴ을 대칭축으로 하는 선대칭도형입니다. ㉠, ㉡, ㉢, ㉣의 각도를 구하세요.

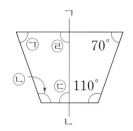

풀이 선대칭도형에서 대응각의 크기는 서로 같으므로

㉠=◻°, ㉡=◻°이고,

대응점끼리 이은 선분은 대칭축과 수직으로 만나므로

㉢=◻°, ㉣=◻°이다.

실행 문제 ②

오른쪽 삼각형 ㄱㄴㄷ은 직선 ㄹㄴ을 대칭축으로 하는 선대칭도형입니다./ 각 ㄹㄱㄴ은 몇 도인가요?

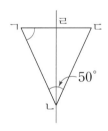

전략 대응점끼리 이은 선분 ㄱㄷ은 대칭축과 수직으로 만난다.

❶ (각 ㄱㄹㄴ)=◻°

전략 각 ㄱㄴㄹ의 대응각: 각 ㄷㄴㄹ

❷ (각 ㄱㄴㄹ)=50°÷◻
　　　　　　=◻°

전략 180°−(각 ㄱㄹㄴ)−(각 ㄱㄴㄹ)

❸ (각 ㄹㄱㄴ)=◻°

답 _____

쌍둥이 문제 2-1

오른쪽 삼각형 ㄱㄴㄹ은 직선 ㄱㄷ을 대칭축으로 하는 선대칭도형입니다./ 각 ㄱㄴㄷ은 몇 도인가요?

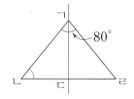

실행 문제 따라 풀기

❶

❷

❸

답 _____

③ **선대칭도형의 둘레(변의 길이) 구하기**

선행 문제 해결 전략

• 선대칭도형의 둘레 구하기

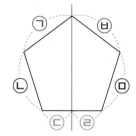

대응변의 길이가 같으므로 ㉠+㉡+㉢
(대칭축 왼쪽 변의 길이의 합) ㉣+㉤+㉥
＝(대칭축 오른쪽 변의 길이의 합)

> **(둘레)＝(대칭축 왼쪽 변의 길이의 합)×2**
> **＝(대칭축 오른쪽 변의 길이의 합)×2**

선행 문제 ③

직선 ㄱㄷ을 대칭축으로 하는 선대칭도형입니다. 둘레를 구하세요.

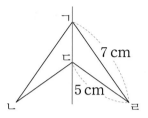

풀이 (대칭축 오른쪽 변의 길이의 합)
＝7＋□＝□ (cm)

➡ (둘레)＝□×2
＝□ (cm)

실행 문제 ③

직선 ㅂㄷ을 대칭축으로 하는 선대칭도형입니다./ 둘레는 몇 cm인가요?

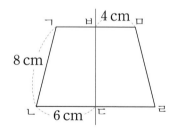

전략 대응변의 길이는 서로 같다.

❶ (변 ㄱㅂ)＝(변 ㅁㅂ)＝□ cm

❷ (대칭축 왼쪽 변의 길이의 합)
＝□＋8＋6＝□ (cm)

전략 (❷에서 구한 길이의 합)×2

❸ (둘레)＝□×2
＝□ (cm)

답 _____

쌍둥이 문제 3-1

직선 ㄱㄹ을 대칭축으로 하는 선대칭도형입니다./ 둘레는 몇 cm인가요?

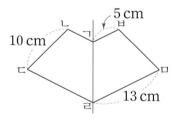

실행 문제 따라 풀기

❶

❷

❸

답 _____

종이를 접은 모양에서 각도 구하기

선행 문제 해결 전략

• 종이를 접은 모양에서 대응각 찾기

사각형 ㄱㅂㅁㄹ은 사각형 ㄱㄴㄷㄹ을
접은 것이므로 두 사각형은 서로 합동이다.

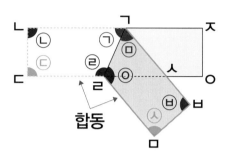

합동

ㄱ=ㅁ,   ㄴ=ㅂ,
ㄷ=ㅅ,   ㄹ=ㅇ

선행 문제 4

그림과 같이 직사각형 모양의 종이를 접었습니다.
㉠과 ㉡의 각도를 각각 구하세요.

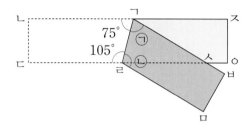

풀이 ① 위 그림에서 사각형 ㄱㅂㅁㄹ과 합동
인 도형을 찾아 색칠하기

② 대응각을 찾아 ㉠과 ㉡의 각도 구하기

㉠=(각 [   ])= [   ]°,

㉡=(각 [   ])= [   ]°

실행 문제 4

그림과 같이 직사각형 모양의 종이를 접었습니다./
각 ㄴㄱㄹ은 몇 도인가요?

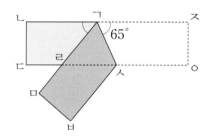

❶ 사각형 ㄱㅅㅂㅁ과 합동인 사각형:

사각형 [   ]

전략 각 ㅁㄱㅅ의 대응각: 각 ㅈㄱㅅ

❷ (각 ㅁㄱㅅ)= [   ]°

전략 180°−(각 ㅈㄱㅅ)−(각 ㅁㄱㅅ)

❸ (각 ㄴㄱㄹ)= [   ]°

답 _____

쌍둥이 문제 4-1

그림과 같이 직사각형 모양의 종이를 접었습니다./
각 ㅅㄹㅁ은 몇 도인가요?

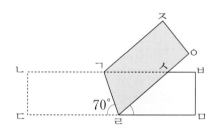

실행 문제 따라 풀기

❶

❷

❸

답 _____

3

합동과 대칭

61

{ 문제 **해결력** 기르기 }

⑤ 점대칭도형에서 선분의 길이 구하기

선행 문제 해결 전략

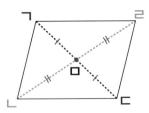

대칭의 중심은 대응점끼리 이은 선분을 둘로 똑같이 나누므로 **각각의 대응점에서 대칭의 중심까지의 거리가 서로 같아.**

• 대각선의 길이 구하기

① (선분 ㄱㅁ)=(선분 ㄷㅁ)
   ➡ (선분 ㄱㄷ)=(선분 ㄱㅁ)×**2**

② (선분 ㄴㅁ)=(선분 ㄹㅁ)
   ➡ (선분 ㄴㄹ)=(선분 ㄴㅁ)×**2**

선행 문제 **5**

점 ㅅ을 대칭의 중심으로 하는 점대칭도형입니다. 각 대각선의 길이를 구하세요.

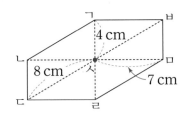

풀이 ① (선분 ㄱㄹ)=(선분 ㄱㅅ)×☐
        =☐ (cm)

② (선분 ㄴㅁ)=(선분 ㅅㅁ)×☐
        =☐ (cm)

③ (선분 ㄷㅂ)=(선분 ㄷㅅ)×☐
        =☐ (cm)

실행 문제 **5**

점 ㅈ을 대칭의 중심으로 하는 점대칭도형입니다./ 선분 ㅅㄷ은 몇 cm인가요?

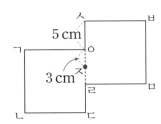

전략 (선분 ㅅㅇ)+(선분 ㅇㅈ)

❶ (선분 ㅅㅈ)=5+☐
         =☐ (cm)

전략 (선분 ㅅㅈ)×2

❷ (선분 ㅅㄷ)=☐×2
         =☐ (cm)

답 _____

쌍둥이 문제 **5-1**

점 ㅈ을 대칭의 중심으로 하는 점대칭도형입니다./ 선분 ㄴㅂ은 몇 cm인가요?

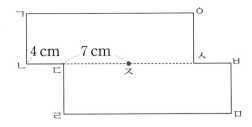

실행 문제 따라 풀기

❶

❷

답 _____

6 종이를 접은 모양에서 변의 길이 구하기

해결 전략

• 직사각형 모양의 종이를 접었을 때
  서로 합동인 도형 찾기

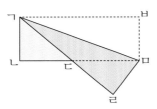

① 직사각형은 점대칭도형이므로

 과 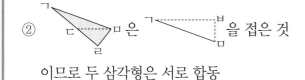 은 서로 합동

② 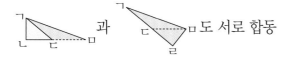 은 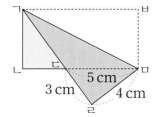 을 접은 것

  이므로 두 삼각형은 서로 합동

③ 위 ①과 ②에 의해

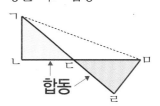 과 ... 도 서로 합동

④ ③에서 공통 부분(...)을 빼면

  남은 두 도형은 서로 합동

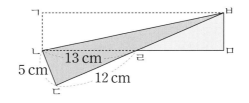

합동

변 ㄱㄴ의 대응변 : 변 ㅁㄹ
변 ㄴㄷ의 대응변 : 변 ㄹㄷ
변 ㄱㄷ의 대응변 : 변 ㅁㄷ

3

합동과 대칭

63

실행 문제 6

직사각형 모양의 종이를 다음과 같이 접었습니다. /
선분 ㄴㅁ은 몇 cm인가요?

3 cm, 5 cm, 4 cm

❶ 삼각형 ㄱㄴㄷ과 합동인 삼각형 :

  삼각형 [   ]

전략 변 ㄴㄷ의 대응변 : 변 ㄹㄷ

❷ (변 ㄴㄷ)=[   ] cm

전략 (변 ㄴㄷ)+(선분 ㄷㅁ)

❸ (선분 ㄴㅁ)=[   ]+5=[   ] (cm)

답 _____

쌍둥이 문제 6-1

직사각형 모양의 종이를 다음과 같이 접었습니다. /
선분 ㄴㅁ은 몇 cm인가요?

5 cm, 13 cm, 12 cm

실행 문제 따라 풀기

❶

❷

❸

답 _____

{ 수학 사고력 키우기 }

😊 선대칭도형에서 대칭축의 수 구하기

연계학습 058쪽

대표 문제 1 두 선대칭도형의 대칭축 수의 차를 구하세요.

가  나

😊 **구하려는 것은?** 두 선대칭도형의 대칭축 수의 차

😊 **어떻게 풀까?**

1️⃣ 도형마다 꼭짓점을 지나는 직선을 따라 접었을 때 도형이 완전히 겹치거나 한 변을 반으로 나누는 직선을 따라 접었을 때 도형이 완전히 겹치는 경우를 모두 찾아 그 직선의 수를 센 후,

2️⃣ 위 1️⃣에서 센 직선의 수의 차를 구하자.

😊 **해결해 볼까?**

❶ 가와 나에서 대칭축은 각각 몇 개?

[전략] 꼭짓점을 지나는 대칭축과 변을 반으로 나누는 대칭축을 찾자.

📝답 가: _____ , 나: _____

❷ 가와 나의 대칭축 수의 차는 몇 개?

📝답 _____

쌍둥이 문제 1-1 두 도형의 대칭축 수의 차는 몇 개인가요?

가  나

😊 **대표 문제 따라 풀기**

❶

❷

📝답 _____

선대칭도형에서 각도 구하기

연계학습 059쪽

대표 문제 2

오른쪽은 직선 ㄱㄷ을 대칭축으로 하는 선대칭도형입니다. / 각 ㄴㄱㄹ의 크기를 구하세요.

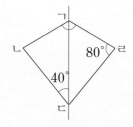

구하려는 것은?

각 ㄴㄱㄹ의 크기

어떻게 풀까?

1 삼각형 ㄱㄴㄷ에서 각 ㄱㄴㄷ의 크기와 각 ㄴㄱㄷ의 크기를 차례로 구한 후,
2 각 ㄴㄱㄷ의 대응각이 각 ㄹㄱㄷ임을 이용해 각 ㄴㄱㄹ의 크기를 구하자.

해결해 볼까?

❶ 각 ㄱㄴㄷ은 몇 도?

전략 > 각 ㄱㄴㄷ의 대응각: 각 ㄱㄴㄷ

답 _____

❷ 각 ㄴㄱㄷ은 몇 도?

전략 > 180°−(각 ㄱㄴㄷ)−(각 ㄴㄷㄱ)

답 _____

❸ 각 ㄴㄱㄹ은 몇 도?

전략 > 각 ㄴㄱㄷ의 대응각: 각 ㄹㄱㄷ

답 _____

3

합동과 대칭

65

쌍둥이 문제 2-1

오른쪽은 직선 ㄱㄹ을 대칭축으로 하는 선대칭도형입니다. / 각 ㄴㄱㅂ은 몇 도인가요?

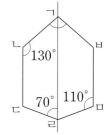

대표 문제 따라 풀기

❶

❷

❸

답 _____

{ 수학 사고력 키우기 }

선대칭도형의 둘레(변의 길이) 구하기

연계학습 060쪽

대표 문제 3

오른쪽은 직선 ㄱㅁ을 대칭축으로 하는 선대칭도형입니다. /
둘레가 66 cm일 때, /
변 ㄹㅁ의 길이를 구하세요.

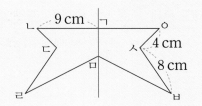

어떻게 풀까?

1 (대칭축 왼쪽 변의 길이의 합)=(대칭축 오른쪽 변의 길이의 합)이므로
둘레를 반으로 나누어 대칭축 왼쪽 변의 길이의 합을 구하고,

2 대응변을 찾아 변 ㄹㅁ의 길이를 구하자.

해결해 볼까?

❶ 대칭축 왼쪽 변의 길이의 합은 몇 cm?

전략 ▷ (둘레)÷2

답 _____

❷ 변 ㄴㄷ과 변 ㄷㄹ은 각각 몇 cm?

전략 ▷ 변 ㄴㄷ의 대응변: 변 ㅇㅅ, 변 ㄷㄹ의 대응변: 변 ㅅㅂ

답 (변 ㄴㄷ)=☐ cm, (변 ㄷㄹ)=☐ cm

❸ 변 ㄹㅁ은 몇 cm?

전략 ▷ (❶에서 구한 길이의 합)-(변 ㄱㄴ)-(변 ㄴㄷ)-(변 ㄷㄹ)

답 _____

쌍둥이 문제 3-1

오른쪽은 직선 ㄱㅁ을 대칭축으로 하는 선대칭도형입니다. /
둘레가 58 cm일 때, /
변 ㄴㄷ은 몇 cm인가요?

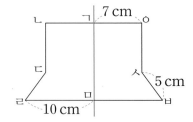

대표 문제 따라 풀기

❶

❷

❸

답 _____

😊 종이를 접은 모양에서 각도 구하기

ⓒ 연계학습 061쪽

대표 문제 ④ 정사각형 모양의 종이를 오른쪽과 같이 접었습니다./ 각 ㄴㅂㅁ의 크기를 구하세요.

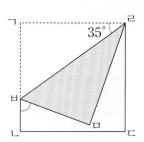

🐻 **주어진 것은?**

• (각 ㄱㄹㅂ)=[ ]°, (각 ㅂㄱㄹ)=[ ]°

• **삼각형 ㅁㅂㄹ과 합동인 삼각형: 삼각형** [ ]

😊 **해결해 볼까?**

❶ 각 ㄱㅂㄹ은 몇 도?

[전략] 180°−(각 ㄱㄹㅂ)−(각 ㅂㄱㄹ)

답 _____

❷ 각 ㅁㅂㄹ은 몇 도?

[전략] 각 ㅁㅂㄹ의 대응각: 각 ㄱㅂㄹ

답 _____

❸ 각 ㄴㅂㅁ은 몇 도?

[전략] 180°−(각 ㄱㅂㄹ)−(각 ㅁㅂㄹ)

답 _____

3

합동과 대칭

67

쌍둥이 문제

4-1

정사각형 모양의 종이를 오른쪽과 같이 접었습니다./ 각 ㄷㄹㅁ은 몇 도인가요?

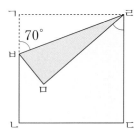

😊 **대표 문제 따라 풀기**

❶

❷

❸

답 _____

{ 수학 사고력 키우기 }

😊 **점대칭도형에서 선분의 길이 구하기**

ⓒ 연계학습 062쪽

대표 문제 ⑤ 오른쪽은 점 ㅅ을 대칭의 중심으로 하는 점대칭도형입니다. / 선분 ㄴㅂ의 길이를 구하세요.

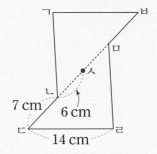

🐻 **주어진 것은?**

(선분 ㄴㅅ)=☐ cm, (변 ㄴㄷ)=☐ cm, (변 ㄷㄹ)=☐ cm

😊 **해결해 볼까?**

❶ 선분 ㄴㅁ은 몇 cm?

전략▷ (선분 ㄴㅅ)×2

답 _____

❷ 변 ㅁㅂ은 몇 cm?

전략▷ 변 ㅁㅂ의 대응변: 변 ㄴㄷ

답 _____

❸ 선분 ㄴㅂ은 몇 cm?

전략▷ (선분 ㄴㅁ)+(변 ㅁㅂ)

답 _____

3

합동과 대칭

쌍둥이 문제 5-1

오른쪽은 점 ㅅ을 대칭의 중심으로 하는 점대칭도형입니다. / 선분 ㄷㅁ은 몇 cm인가요?

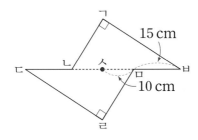

😊 **대표 문제 따라 풀기**

❶

❷

❸

답 _____

종이를 접은 모양에서 변의 길이 구하기

연계학습 063쪽

대표 문제 6

직사각형 모양의 종이를 오른쪽과 같이 접었습니다./
직사각형 ㄱㄴㄷㄹ의 넓이를 구하세요.

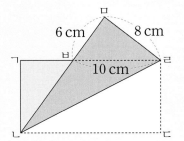

 주어진 것은?

(변 ㅁㅂ)=☐ cm, (선분 ㅂㄹ)=☐ cm,

(변 ㅁㄹ)=☐ cm

해결해 볼까?

❶ 삼각형 ㄱㄴㅂ과 합동인 삼각형은?

답 삼각형 ☐

❷ 변 ㄱㄴ은 몇 cm?

전략 변 ㄱㄴ의 대응변: 변 ㅁㄹ

답 _____

❸ 선분 ㄱㄹ은 몇 cm?

전략 (변 ㄱㅂ)+(선분 ㅂㄹ)

답 _____

❹ 직사각형 ㄱㄴㄷㄹ의 넓이는 몇 cm²?

전략 (❷에서 구한 길이)×(❸에서 구한 길이)

답 _____

3

합동과 대칭

69

쌍둥이 문제 6-1

직사각형 모양의 종이를 오른쪽과 같이 접었습니다./
직사각형 ㄱㄴㄷㄹ의 넓이는 몇 cm²인가요?

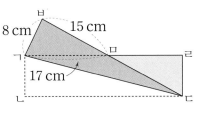

대표 문제 따라 풀기

❶

❷

❸

❹

답 _____

수학 독해력 완성하기

😊 선대칭도형도 되고 점대칭도형도 되는 것 찾기

독해 문제 1

선대칭도형도 되고 점대칭도형도 되는 것을 모두 찾아 기호를 쓰세요.

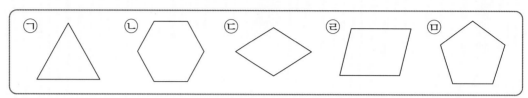

🐻 해결해 볼까? ❶ 선대칭도형을 모두 찾아 기호를 쓰면?

답 _____

❷ 점대칭도형을 모두 찾아 기호를 쓰면?

답 _____

❸ 선대칭도형도 되고 점대칭도형도 되는 것을 모두 찾아 기호를 쓰면?

답 _____

😊 점대칭도형에서 각도 구하기

독해 문제 2

오른쪽은 점 ㅇ을 대칭의 중심으로 하는 점대칭도형입니다. /
각 ㄱㄹㄷ은 몇 도인가요?

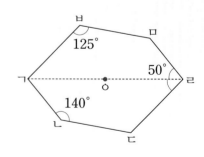

🐻 해결해 볼까? ❶ 각 ㄹㄱㄴ과 각 ㄴㄷㄹ은 각각 몇 도?

답 (각 ㄹㄱㄴ)=□°, (각 ㄴㄷㄹ)=□°

❷ 각 ㄱㄹㄷ은 몇 도?

답 _____

합동인 도형의 넓이 구하기

독해 문제 **3**

오른쪽과 같이 직선 가 위에 서로 합동인
삼각형 ㄱㄴㄷ과 삼각형 ㄷㄹㅁ이 있습니다. /
삼각형 ㄱㄴㄷ의 넓이는 몇 cm²인가요?

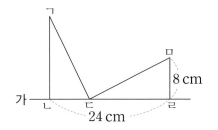

해결해 볼까?

❶ 변 ㄴㄷ은 몇 cm?

답

❷ 변 ㄱㄴ은 몇 cm?

답

❸ 삼각형 ㄱㄴㄷ의 넓이는 몇 cm²?

답

 합동인 도형에서 각도 구하기

독해 문제 **4**

오른쪽 삼각형 ㄱㄹㅁ과 삼각형 ㄷㅂㅁ은 서로 합동입니다. /
각 ㄹㄴㅂ은 몇 도인가요?

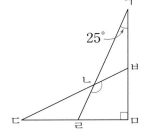

해결해 볼까?

❶ 각 ㄱㄹㅁ은 몇 도?

답

❷ 각 ㄷㅂㅁ은 몇 도?

답

❸ 각 ㄹㄴㅂ은 몇 도?

답

3

합동과 대칭

71

{ 수학 독해력 완성하기 }

점대칭도형에서 선분의 길이 구하기

ⓒ 연계학습 068쪽

독해 문제 5

오른쪽은 점 ㅈ을 대칭의 중심으로 하는 점대칭도형입니다. /
둘레가 112 cm일 때, /
선분 ㄷㅅ의 길이를 구하세요.

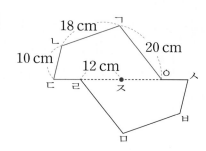

😊 **구하려는 것은?** 선분 ㄷㅅ의 길이

🐻 **주어진 것은?**
- (변 ㄷㄴ)=10 cm, (변 ㄴㄱ)=18 cm, (변 ㄱㅇ)=20 cm, (선분 ㄹㅈ)=☐ cm
- 점대칭도형의 둘레: ☐ cm

😀 **어떻게 풀까?**

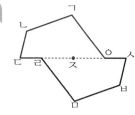

1️⃣ (빨간색 선의 길이의 합)=(파란색 선의 길이의 합)임을 이용하여 변 ㄷㄹ의 길이를 구하고,

2️⃣ 선분 ㄷㅈ의 길이를 2배하여 선분 ㄷㅅ의 길이를 구하자.

🐻 **해결해 볼까?**

❶ 빨간색 선의 길이의 합은 몇 cm?

[전략] (둘레)÷2

답 _____

❷ 변 ㄷㄹ은 몇 cm?

답 _____

❸ 선분 ㄷㅈ은 몇 cm?

답 _____

❹ 선분 ㄷㅅ은 몇 cm?

답 _____

종이를 접은 모양에서 변의 길이 구하기

연계학습 069쪽

독해 문제 6

직사각형 모양의 종이를 오른쪽과 같이 접었습니다. /
직사각형 ㄱㄴㅁㅂ의 넓이가 216 cm²일 때, /
선분 ㄷㅁ의 길이를 구하세요.

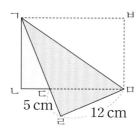

5 cm   12 cm

구하려는 것은? 선분 ㄷㅁ의 길이

주어진 것은?
- (변 ㄷㄹ)=☐ cm, (변 ㄹㅁ)=☐ cm
- (직사각형 ㄱㄴㅁㅂ의 넓이)=☐ cm²

어떻게 풀까?

(선분 ㄷㅁ)=(선분 ㄴㅁ)—(변 ㄴㄷ)이므로 선분 ㄴㅁ의 길이와 변 ㄴㄷ의 길이를 알아야 한다.

1 삼각형 ㄱㄴㄷ과 합동인 삼각형을 찾아 대응변을 이용하여 변 ㄱㄴ과 변 ㄴㄷ의 길이를 각각 구하고,

2 직사각형 ㄱㄴㅁㅂ의 넓이를 이용해 선분 ㄴㅁ의 길이를 구한 후,

3 선분 ㄷㅁ의 길이를 구하자.

해결해 볼까?

❶ 삼각형 ㄱㄴㄷ과 합동인 삼각형은?

답 ▶ 삼각형 ☐

❷ 변 ㄱㄴ과 변 ㄴㄷ은 각각 몇 cm?

답 ▶ (변 ㄱㄴ)=☐ cm, (변 ㄴㄷ)=☐ cm

❸ 선분 ㄴㅁ은 몇 cm?

전략 ▶ (직사각형 ㄱㄴㅁㅂ의 넓이)÷(변 ㄱㄴ)

답 ▶

❹ 선분 ㄷㅁ은 몇 cm?

답 ▶

3

합동과 대칭

{ 창의·융합·코딩 체험하기 }

융합 ① 깨진 기와를 새 기와로 바꾸어 붙이려고 합니다./
세 기와 중에서 바꾸어 붙일 수 있는 기와를 찾아 기호를 쓰세요.

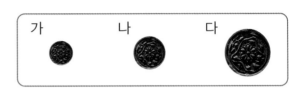

답 _____

[융합 ②~③] 다음과 같이 거울을 이용하면 거울에 비치는 모양이 같아 선대칭도형을 만들 수 있습니다./
거울을 놓은 위치가 **빨간색** 선일 때,/
완성되는 글자를 쓰세요.

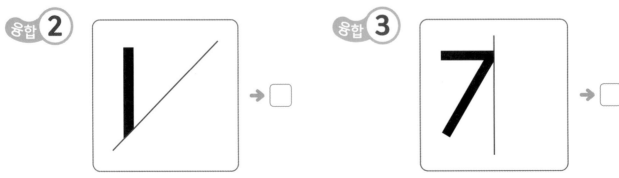

창의 4 다음은 선대칭도형입니다./ 대칭축을 모두 그리세요.

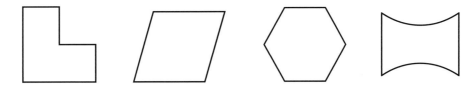

창의 5 다음은 서현이네 집 현관 비밀번호에 대한 설명입니다./
비밀번호를 찾아 쓰세요.

1. **6009** 와 같이 점대칭이 되는 수입니다.

2. **2** 와 **8** 을 여러 번 사용하여 만든 네 자리 수입니다.

3. 8000보다 큰 수입니다.

(1) **2** 와 **8** 을 여러 번 사용하여/ 만들 수 있는 점대칭이 되는/ 네 자리 수를 모두 쓰면?

점대칭이 되어야 하므로 두 수를
각각 2번씩 써야 해.

답 _____

(2) 위 (1)에서 구한 수 중/ 8000보다 큰 수는?

답 _____

{ 창의·융합·코딩 체험하기 }

[코딩 6 ~ 9] 다음 순서도에 여러 국가의 국기를 입력했을 때, / 출력되는 색에 ○표 하세요.

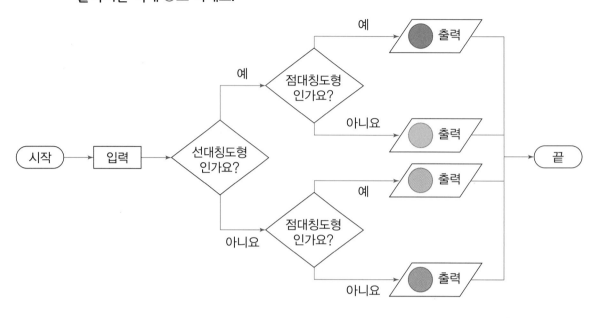

코딩 6 　〈태극기〉

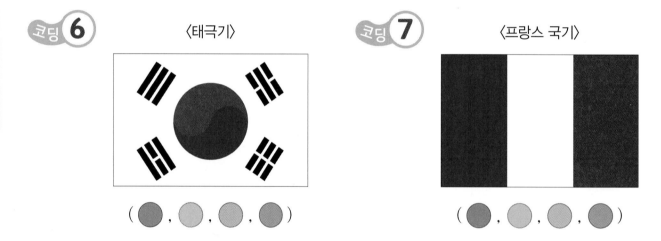

코딩 7 　〈프랑스 국기〉

코딩 8 　〈캐나다 국기〉

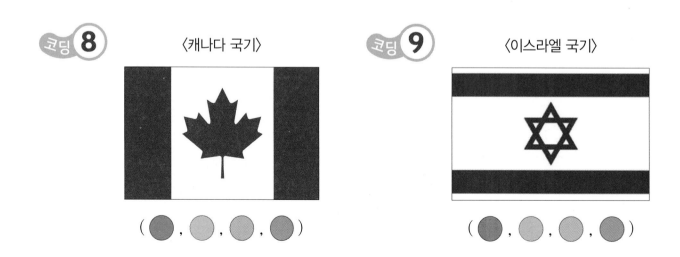

코딩 9 　〈이스라엘 국기〉

[코딩 10 ~ 11] 거북 실행 명령어를 살펴보고,／ 물음에 답하세요.

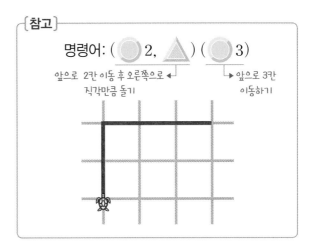

 주어진 명령어에 따라 거북이 지나간 길을 그리세요.

명령어: (● 5, ▲) (● 3, ▲) (● 3, ▲) (● 5)

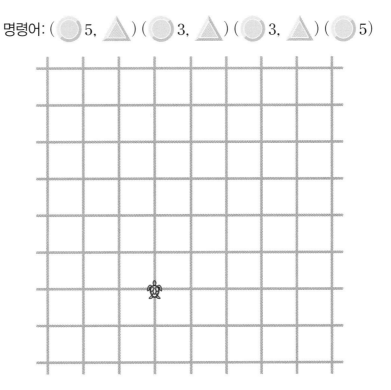

코딩 11 위 코딩 10 에서 그린 길의 모양은 선대칭도형입니다.／
위에서 그린 선대칭도형에 대칭축을 그리세요.

선대칭도형에서 대칭축의 수 구하기 ⟲064쪽

1 두 도형의 대칭축 수의 차는 몇 개인가요?

가

나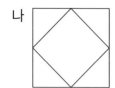

> 풀이

> 답 _____

선대칭도형에서 각도 구하기 ⟲065쪽

2 오른쪽은 직선 ㄱㄷ을 대칭축으로 하는 선대칭도형입니다. 각 ㄴㄷㄹ은 몇 도인가요?

> 풀이

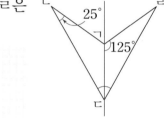

> 답 _____

선대칭도형의 둘레(변의 길이) 구하기 ⟲066쪽

3 오른쪽은 직선 ㄱㅁ을 대칭축으로 하는 선대칭도형입니다. 둘레가 86 cm일 때, 변 ㄴㄷ은 몇 cm인가요?

> 풀이

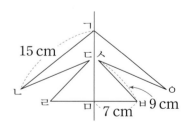

> 답 _____

종이를 접은 모양에서 각도 구하기 067쪽

4 정사각형 모양의 종이를 오른쪽과 같이 접었습니다. 각 ㄴㅂㅁ은 몇 도 인가요?

풀이

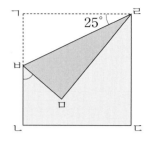

답 _____

점대칭도형에서 선분의 길이 구하기 068쪽

5 오른쪽은 점 ㅎ을 대칭의 중심으로 하는 점대칭도형입니다. 선분 ㅁㅈ 은 몇 cm인가요?

풀이

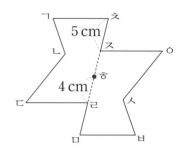

답 _____

점대칭도형에서 각도 구하기 070쪽

6 오른쪽은 점 ㅇ을 대칭의 중심으로 하는 점대칭도형입니다. 각 ㄴㄱㄹ은 몇 도인가요?

풀이

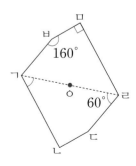

답 _____

합동인 도형의 넓이 구하기 ⌒071쪽

7 오른쪽과 같이 직선 가 위에 서로 합동인 삼각형 ㄱㄴㄷ과 삼각형 ㄹㅁㄷ이 있습니다. 삼각형 ㄹㅁㄷ의 넓이는 몇 cm²인가요?

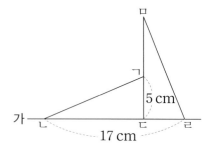

풀이

답 _____

종이를 접은 모양에서 변의 길이 구하기 ⌒069쪽

8 직사각형 모양의 종이를 오른쪽과 같이 접었습니다. 직사각형 ㄱㄴㅁㅂ의 넓이는 몇 cm²인가요?

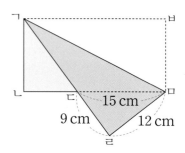

풀이

답 _____

합동인 도형에서 각도 구하기 071쪽

9 오른쪽 삼각형 ㄱㄹㅁ과 삼각형 ㄷㅂㅁ은 서로 합동입니다. 각 ㄹㄴㅂ은 몇 도인가요?

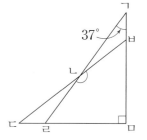

풀이▶

답 _____

합동과 대칭

점대칭도형에서 선분의 길이 구하기 072쪽

10 오른쪽은 점 ㅈ을 대칭의 중심으로 하는 점대칭도형입니다. 둘레가 116 cm일 때, 선분 ㄱㅁ은 몇 cm인가요?

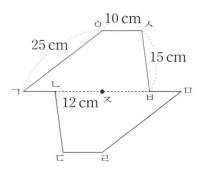

풀이▶

답 _____

4 소수의 곱셈

FUN 한 이야기

진수네 주말 농장 텃밭은 가로가 6.5 m, 세로가 4 m인 직사각형 모양이에요.

진수야, 거기서부터 선을 그으면 돼~

진수네 텃밭
6.5 m
4 m

텃밭의 가로를 1.2배로 늘려 새로운 텃밭을 만들려고 해요.

더 길게 길게 그어~

(6.5×1.2) m

얼마만큼 이요?

새로운 텃밭의 넓이는 몇 m²인지 구하세요.

(6.5×1.2) m
4 m

이렇게 쫘~악 그으라니까~

휴~ 힘들어. 처음부터 아빠가 그었으면 좋았을 텐데……

파 바 박

진수네 주말 농장 텃밭은 가로가 6.5 m, 세로가 4 m인 직사각형 모양이에요. /

텃밭의 가로를 1.2배로 늘려 새로운 텃밭을 만들려고 해요. /

새로운 텃밭의 넓이는 몇 m²인지 구하세요.

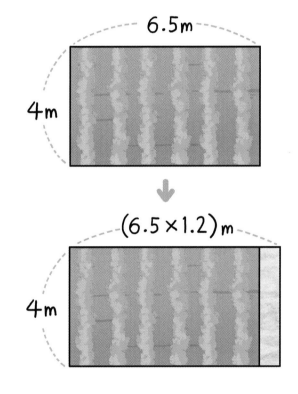

새로운 텃밭의 가로를 구한 다음,
텃밭의 세로와 곱하자.

새로운 텃밭의 가로 구하기

식 _____

답 _____

새로운 텃밭의 넓이 구하기

식 _____

답 _____

{ 문제 해결력 기르기 }

① ●에 알맞은 자연수 구하기

선행 문제 해결 전략

• 수의 범위를 만족하는 ●에 알맞은 자연수 구하기

예
$$● < 3.5$$

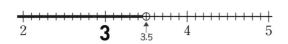

3.5보다 작은 자연수: 1, 2, **3**

➡ ● 중 가장 큰 자연수는 **3**이다.

예
$$3.5 < ●$$

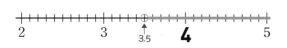

3.5보다 큰 자연수: **4**, 5 ······

➡ ● 중 가장 작은 자연수는 **4**이다.

선행 문제 ①

(1) ●에 알맞은 자연수 중 가장 큰 수를 구하세요.

$$● < 8.1$$

풀이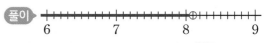

8.1보다 작은 자연수는 1부터 ☐까지의 수 이고, 이 중 가장 큰 자연수는 ☐이다.

(2) ●에 알맞은 자연수 중 가장 작은 수를 구하세요.

$$5.6 < ●$$

풀이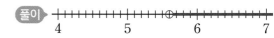

5.6보다 큰 자연수는 ☐, ☐ ······이고, 이 중 가장 작은 자연수는 ☐이다.

실행 문제 ①

●에 알맞은 자연수 중 가장 큰 수를 구하세요.

$$3.15 × 1.6 > ●$$

❶ $3.15 × 1.6 =$ ☐

전략 ▷ ●는 ❶에서 구한 수보다 작은 수이다.

❷ 문제의 식을 간단히 나타내기:

☐ > ●

❸ ●에 알맞은 자연수 중 가장 큰 수: ☐

답 _____

쌍둥이 문제 1-1

●에 알맞은 자연수 중 가장 작은 수를 구하세요.

$$1.24 × 7.5 < ●$$

실행 문제 따라 풀기

❶

❷

❸

답 _____

② 시간을 소수로 나타내어 계산하기

선행 문제 해결 전략

• 시간을 소수로 나타내기

분수를 소수로 나타낼 때
분모가 10, 100, 1000······인 분수
로 나타내야 한다.

예 $18분 = \dfrac{18}{60}시간 = \dfrac{3}{10}시간 = 0.3시간$

분모가 10인 분수로 나타낸다.

예 $1시간\ 15분 = 1시간 + \dfrac{15}{60}시간$

기약분수로 나타내기

$= 1시간 + \dfrac{1}{4}시간$

분모가 100인 분수로 나타내기

$= 1시간 + \dfrac{25}{100}시간$

$= 1.25시간$

선행 문제 ②

주어진 시간은 몇 시간인지 소수로 나타내세요.

(1) $42분 = \dfrac{\boxed{}}{60}시간 = \dfrac{\boxed{}}{10}시간 = \boxed{}시간$

(2) $1시간\ 45분 = 1시간 + \dfrac{\boxed{}}{60}시간$

$= 1시간 + \dfrac{\boxed{}}{4}시간$

$= 1시간 + \dfrac{\boxed{}}{100}시간$

$= \boxed{}시간$

실행 문제 ②

진희는 매일 1시간 30분씩 운동을 했습니다./ 진희가 5일 동안 운동을 한 시간은/ 모두 몇 시간인지 소수로 나타내세요.

전략 주어진 시간을 소수로 나타내자.

❶ $1시간\ 30분 = 1시간 + \dfrac{\boxed{}}{60}시간$

$= 1시간 + \dfrac{\boxed{}}{10}시간$

$= \boxed{}시간$

전략 (매일 운동을 한 시간) × (날수)

❷ (5일 동안 운동을 한 시간)

$= \boxed{} \times 5 = \boxed{}(시간)$

쌍둥이 문제 2-1

호영이는 매일 1시간 12분씩 독서를 했습니다./ 호영이가 6일 동안 독서를 한 시간은/ 모두 몇 시간인지 소수로 나타내세요.

실행 문제 따라 풀기

❶

❷

답 _____

답 _____

{ 문제 **해결력** 기르기 }

③ 바르게 계산한 값 구하기

선행 문제 해결 전략

잘못 계산한 문제는?

어떤 수를 □라 하여
잘못 계산한 식을 세워 보자.

• 어떤 수 구하기

예 **어떤 수에 4를** 곱해야 할 것을 잘못하여
나누었더니 0.8이 되었습니다.

잘못 계산한 식: $\boxed{} \div 4 = 0.8$

곱셈과 나눗셈의 관계를 이용하여 □의 값을 구하자.

➡ $\boxed{} = 0.8 \times 4 = 3.2$

선행 문제 ③

어떤 수를 □라 하여 잘못 계산한 식을 세워 보세요.

(1) 어떤 수에 5를 곱해야 할 것을
잘못하여 나누었더니 1.3이 되었습니다.

$\boxed{} \div \boxed{} = \boxed{}$

(2) 어떤 수에 0.6을 곱해야 할 것을
잘못하여 나누었더니 0.9가 되었습니다.

$\boxed{} \div \boxed{} = \boxed{}$

실행 문제 ③

어떤 수에 22를 곱해야 할 것을/
잘못하여 나누었더니 0.15가 되었습니다./
바르게 계산한 값을 구하세요.

❶ 어떤 수를 □라 하여 잘못 계산한 식 세우기:

$\boxed{} \div \boxed{} = \boxed{}$

전략 ❶의 식을 곱셈식으로 나타내어 □의 값을 구하자.

❷ $\boxed{} = \boxed{} \times \boxed{} = \boxed{}$

➡ (어떤 수) = $\boxed{}$

전략 (어떤 수) × 22

❸ 바르게 계산한 값: $\boxed{} \times 22 = \boxed{}$

답 _____

쌍둥이 문제 3-1

어떤 수에 15를 곱해야 할 것을/
잘못하여 나누었더니 0.18이 되었습니다./
바르게 계산한 값을 구하세요.

실행 문제 **따라 풀기**

❶

❷

❸

답 _____

소수의 곱셈

4

④ 새로 만든 직사각형의 넓이 구하기

선행 문제 해결 전략

• 정사각형의 가로와 세로를 늘리기

예 정사각형의 가로를 **3**배로 늘리기

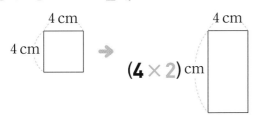

(**늘린 가로**의 길이)=**4**×**3**=12 (cm)

예 정사각형의 세로를 **2**배로 늘리기

(**4**×**2**) cm

(**늘린 세로**의 길이)=**4**×**2**=8 (cm)

선행 문제 ④

오른쪽 정사각형을 보고
주어진 길이를 구하세요.

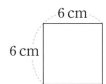

(1)
┌─────────────────────────┐
│ 정사각형의 가로를 4배로 늘린 길이 │
└─────────────────────────┘

풀이 정사각형의 가로를 4배로 늘리면
늘린 가로는 ☐×☐=☐ (cm)가 된다.

(2)
┌─────────────────────────┐
│ 정사각형의 세로를 5배로 늘린 길이 │
└─────────────────────────┘

풀이 정사각형의 세로를 5배로 늘리면
늘린 세로는 ☐×☐=☐ (cm)가 된다.

실행 문제 ④

그림과 같이/ 직사각형 모양의 텃밭의 가로를 1.4배
로 늘려/ 새로운 텃밭을 만들려고 합니다./
새로운 텃밭의 넓이는 몇 m²인가요?

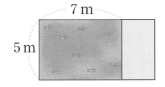

전략 텃밭의 가로를 1.4배 하자.

❶ (새로운 텃밭의 가로)=☐×☐
　　　　　　　　　　＝☐ (m)

전략 (가로)×(세로)

❷ (새로운 텃밭의 넓이)=☐×5
　　　　　　　　　　＝☐ (m²)

답 _____

쌍둥이 문제 4-1

오른쪽과 같이/ 정사각형 모양의
꽃밭의 세로를 1.8배로 늘려/
새로운 꽃밭을 만들려고 합니다./
새로운 꽃밭의 넓이는 몇 m²인
가요?

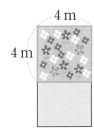

실행 문제 따라 풀기

❶

❷

답 _____

{ 문제 **해결력** 기르기 }

⑤ 수 카드로 곱셈식 만들기

해결 전략

• 수 카드를 한 번씩만 사용하여 (소수 한 자리 수)×(소수 한 자리 수) 만들기

예 곱이 가장 크게 되는 ㉠.㉡×㉢.㉣ 만들기

위와 같은 순서대로 큰 수부터 차례로 써~

① 가장 큰 수와 두 번째로 큰 수를 ㉠과 ㉢에 놓는다.

4.㉡ × 3.㉣

② 나머지 수를 ㉡과 ㉣에 놓아 곱이 가장 크게 만든다.

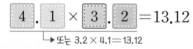

4.1 × 3.2 = 13.12
└▶또는 3.2 × 4.1 = 13.12

예 곱이 가장 작게 되는 ㉠.㉡×㉢.㉣ 만들기

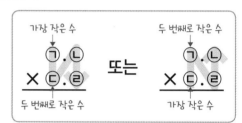

위와 같은 순서대로 작은 수부터 차례로 써~

① 가장 작은 수와 두 번째로 작은 수를 ㉠과 ㉢에 놓는다.

1.㉡ × 2.㉣

② 나머지 수를 ㉡과 ㉣에 놓아 곱이 가장 작게 만든다.

1.3 × 2.4 = 3.12
└▶또는 2.4 × 1.3 = 3.12

실행 문제 ⑤

4장의 수 카드를 한 번씩만 사용하여/
곱이 가장 크게 되는/ (소수 한 자리 수)×(소수 한 자리 수)를 만들어 계산하세요.

7 5 3 1 ➡ ☐.☐ × ☐.☐

전략 가장 큰 수와 두 번째로 큰 수를 놓자.

❶ 자연수 부분에 놓을 수 쓰기: ☐.■ × ☐.■

❷ 곱이 가장 크게 되는 곱셈식: ☐.☐ × ☐.☐ = ☐☐☐☐

답 _____

이어 붙인 색 테이프의 길이 구하기

• 색 테이프를 겹친 부분의 길이의 합 구하기

**겹친 부분의 수는
색 테이프의 수보다 1 작다.**

5 cm   5 cm   5 cm

2 cm   2 cm

색 테이프 **3장**을 이으면 겹친 부분은 **2군데** ⌐3─1

➡ (겹친 부분의 길이의 합)=2×**2**=4 (cm)
└겹친 부분의 길이

5 cm   5 cm   5 cm   5 cm

2 cm   2 cm   2 cm

색 테이프 **4장**을 이으면 겹친 부분은 **3군데** ⌐4─1

➡ (겹친 부분의 길이의 합)=2×**3**=6 (cm)
└겹친 부분의 길이

선행 문제 6

길이가 10 cm인 색 테이프 3장을 그림과 같이 3 cm씩 겹치게 이어 붙였습니다. 겹친 부분의 길이의 합은 몇 cm인가요?

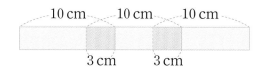

10 cm   10 cm   10 cm

3 cm   3 cm

풀이 (색 테이프의 수)=☐장

(겹친 부분의 수)

=☐−1=☐(군데)

(겹친 부분의 길이의 합)

=3×☐

=☐ (cm)

실행 문제 6

길이가 8.6 cm인 색 테이프 3장을/
그림과 같이 0.8 cm씩 겹치게 이어 붙였습니다./
이어 붙인 색 테이프의 전체 길이는 몇 cm인가요?

8.6 cm   8.6 cm   8.6 cm

0.8 cm   0.8 cm

❶ (색 테이프 3장의 길이의 합)

=☐×3=☐(cm)

[전략] (겹친 부분의 길이)×(겹친 부분의 수)

❷ (겹친 부분 2군데의 길이의 합)

=0.8×2=☐(cm)

❸ (이어 붙인 색 테이프의 전체 길이)

=☐−☐=☐(cm)

답_____

쌍둥이 문제 6-1

길이가 9.5 cm인 색 테이프 3장을/
그림과 같이 1.3 cm씩 겹치게 이어 붙였습니다./
이어 붙인 색 테이프의 전체 길이는 몇 cm인가요?

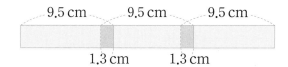

9.5 cm   9.5 cm   9.5 cm

1.3 cm   1.3 cm

실행 문제 따라 풀기

❶

❷

❸

답_____

{ 수학 사고력 키우기 }

●에 알맞은 자연수 구하기

ⓒ 연계학습 084쪽

대표 문제 ① ●에 알맞은 자연수는 모두 몇 개인지 구하세요.

$$8.4 \times 0.65 < ● < 8$$

😊 **구하려는 것은?** ●에 알맞은 자연수의 개수

🐻 **어떻게 풀까?**

1️⃣ 8.4×0.65를 계산하고

2️⃣ 식을 간단히 나타낸 다음 ●에 알맞은 자연수를 모두 구하자.

🐻 **해결해 볼까?**

❶ 8.4×0.65를 계산하면?

답 _____

❷ 문제의 식을 간단히 나타내면?

전략 ●는 ❶에서 구한 값보다 크고 8보다 작다.

식 _____ □ $< ● < 8$ _____

❸ ●에 알맞은 자연수는 모두 몇 개?

답 _____

쌍둥이 문제 1-1 ●에 알맞은 자연수는 모두 몇 개인지 구하세요.

$$12 < ● < 0.42 \times 35$$

😊 **대표 문제 따라 풀기**

❶

❷

❸

답 _____

시간을 소수로 나타내어 계산하기

연계학습 085쪽

대표 문제 2

지호는 일정한 빠르기로/ 자전거를 타고 한 시간 동안 9 km를 달립니다./
같은 빠르기로/ 지호가 자전거를 타고 2시간 15분 동안 달린 거리는/ 몇 km인지
소수로 나타내세요.

구하려는 것은?

지호가 자전거를 타고 [ ]시간 [ ]분 동안 달린 거리

주어진 것은?

• 지호가 자전거를 타고 한 시간 동안 달리는 거리: [ ] km

• 지호가 자전거를 탄 시간: [ ]시간 [ ]분

해결해 볼까?

❶ 2시간 15분은 몇 시간인지 소수로 나타내면?

전략 ▷ 1분 $=\dfrac{1}{60}$ 시간임을 이용하자.

답 _____

❷ 같은 빠르기로 자전거를 타고 2시간 15분 동안 달린 거리는 몇 km인지 소수로 나타내면?

전략 ▷ 한 시간 동안 달리는 거리와 ❶에서 구한 시간을 곱하자.

답 _____

쌍둥이 문제

2-1

일정한 빠르기로/ 한 시간 동안 62 km를 갈 수 있는 자동차가 있습니다./
같은 빠르기로/ 이 자동차가 2시간 24분 동안 갈 수 있는 거리는/ 몇 km인지 소수로
나타내세요.

대표 문제 따라 풀기

❶

❷

답 _____

4

소수의 곱셈

91

{ 수학 사고력 키우기 }

😊 **바르게 계산한 값 구하기**

⊙ 연계학습 086쪽

대표 문제 3

어떤 수에 2.5를 곱해야 할 것을/
잘못하여 더했더니 9.1이 되었습니다./
바르게 계산한 값을 구하세요.

😊 **구하려는 것은?**　바르게 계산한 값

😊 **어떻게 풀까?**

① 어떤 수를 □라 하여 잘못 계산한 덧셈식을 세우고
② **덧셈과 뺄셈의 관계를 이용하여** 어떤 수를 구한 다음,
③ 어떤 수를 이용하여 곱셈식을 세워 바르게 계산한 값을 구하자.

😊 **해결해 볼까?**

❶ 어떤 수를 □라 하여 잘못 계산한 식을 세우면?

　　　　　　　　　　식 _____

❷ 어떤 수를 구하면?

　전략 ❶의 식을 뺄셈식으로 나타내어 □의 값을 구하자.　답 _____

❸ 바르게 계산한 값은?

　전략 ❷에서 구한 값에 2.5를 곱하자.　답 _____

쌍둥이 문제 3-1

어떤 수에 1.5를 곱해야 할 것을/
잘못하여 뺐더니 9.64가 되었습니다./
바르게 계산한 값을 구하세요.

😊 **대표 문제 따라 풀기**

❶

❷

❸

　　　　　　　　　　답 _____

새로 만든 직사각형의 넓이 구하기

연계학습 087쪽

대표 문제 4

오른쪽과 같이 직사각형 모양의 놀이터의 가로와 세로를 각각 1.5배씩 늘려/ 새로운 놀이터를 만들려고 합니다./ 새로운 놀이터의 넓이는 몇 m^2인지 구하세요.

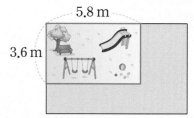
5.8 m
3.6 m

구하려는 것은? 새로운 놀이터의 넓이

주어진 것은?
- 놀이터의 가로: ☐ m
- 놀이터의 세로: ☐ m

해결해 볼까?

❶ 새로운 놀이터의 가로는 몇 m?

전략 놀이터의 가로를 1.5배 하자.

답 _____

❷ 새로운 놀이터의 세로는 몇 m?

전략 놀이터의 세로를 1.5배 하자.

답 _____

❸ 새로운 놀이터의 넓이는 몇 m^2?

전략 (새로운 놀이터의 가로)×(새로운 놀이터의 세로)

답 _____

쌍둥이 문제 4-1

오른쪽과 같이 직사각형 모양의 게시판의 가로를 1.4배로 늘리고,/ 세로를 1.2배로 늘려/ 새로운 게시판을 만들려고 합니다./ 새로운 게시판의 넓이는 몇 m^2인지 구하세요.

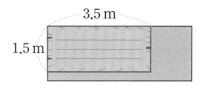
3.5 m
1.5 m

대표 문제 따라 풀기

❶

❷

❸

답 _____

4

소수의 곱셈

{ 수학 **사고력** 키우기 }

수 카드로 곱셈식 만들기

🔵 연계학습 088쪽

대표 문제 5

수 카드 중에서 4장을 골라 한 번씩만 사용하여/
곱이 가장 크게 되는/ (소수 한 자리 수)×(소수 한 자리 수)를 만들고 계산하세요.

8 3 5 6 1 → ☐.☐×☐.☐

😀 **구하려는 것은?**

곱이 가장 크게 되는 (소수 한 자리 수)×(소수 한 자리 수)

😀 **어떻게 풀까?**

1️⃣ 수의 크기를 비교하여 사용할 수 카드 4장을 고르고
2️⃣ 두 소수의 자연수 부분에 놓을 두 수를 찾은 다음
3️⃣ 나머지 수를 소수 부분에 써넣어 곱이 가장 크게 되는 곱셈식을 만들고 계산하자.

😀 **해결해 볼까?**

❶ 수 카드의 수가 큰 수부터 4장을 골라 순서대로 쓰면?

답 ☐, ☐, ☐, ☐

❷ 두 소수의 자연수 부분에 놓을 두 수는?

전략 곱하는 두 소수의 자연수 부분이 클수록 곱이 커지므로 가장 큰 수와 두 번째로 큰 수를 놓자.

답

❸ 곱이 가장 크게 되는 곱셈식을 만들고 계산하면?

식 ☐.☐×☐.☐=☐

쌍둥이 문제 5-1

수 카드 중에서 4장을 골라 한 번씩만 사용하여/
곱이 가장 작게 되는/ (소수 한 자리 수)×(소수 한 자리 수)를 만들고 계산하세요.

7 9 1 4 2 → ☐.☐×☐.☐

😀 **대표 문제 따라 풀기**

❶

❷

❸

식 ☐.☐×☐.☐=☐

4

소수의 곱셈

이어 붙인 색 테이프의 길이 구하기

연계학습 089쪽

대표 문제 6

길이가 0.15 m인 색 테이프 30장을/
그림과 같이 0.06 m씩 겹치게 이어 붙였습니다./
이어 붙인 색 테이프의 전체 길이는 몇 m인지 구하세요.

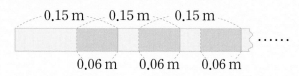

0.15 m   0.15 m   0.15 m

0.06 m   0.06 m   0.06 m

주어진 것은?

• 색 테이프 한 장의 길이: ☐ m

• 색 테이프의 수: ☐ 장

• 겹친 부분의 길이: ☐ m

해결해 볼까?

❶ 색 테이프 30장의 길이의 합은 몇 m?

답 _____

❷ 겹친 부분의 길이의 합은 몇 m?

전략 ▷ 겹친 부분의 수는 색 테이프의 수보다 1 작다.

답 _____

❸ 이어 붙인 색 테이프의 전체 길이는 몇 m?

전략 ▷ (색 테이프 30장의 길이의 합)－(겹친 부분의 길이의 합)

답 _____

4

소수의 곱셈

95

쌍둥이 문제 6-1

길이가 10.5 cm인 색 테이프 12장을/
그림과 같이 3.4 cm씩 겹치게 이어 붙였습니다./
이어 붙인 색 테이프의 전체 길이는 몇 cm인지 구하세요.

10.5 cm   10.5 cm   10.5 cm

3.4 cm   3.4 cm   3.4 cm

대표 문제 따라 풀기

❶

❷

❸

답 _____

{ 수학 독해력 완성하기 }

😊 사용한 양 구하기

독해 문제 1

어느 식당에서 식용유를 어제는 0.58 L 사용했고, /
오늘은 어제 사용한 식용유의 0.6만큼 사용했습니다. /
이 식당에서 어제와 오늘 사용한 식용유는 모두 몇 L인지 구하세요.

해결해 볼까?

❶ 오늘 사용한 식용유는 몇 L?

전략 (어제 사용한 식용유의 양)×0.6

답

❷ 어제와 오늘 사용한 식용유는 모두 몇 L?

전략 (어제 사용한 식용유의 양)+(오늘 사용한 식용유의 양)

답

😊 타일을 붙인 부분의 넓이 구하기

독해 문제 2

가로가 4.5 cm, 세로가 19.5 cm인 직사각형 모양의 타일을 /
벽에 겹치지 않게 6장 이어 붙였습니다. /
벽에 타일을 붙인 부분의 넓이는 몇 cm^2인지 구하세요.

해결해 볼까?

❶ 타일 한 장의 넓이는 몇 cm^2?

전략 (가로)×(세로)

답

❷ 벽에 타일을 붙인 부분의 넓이는 몇 cm^2?

전략 (❶에서 구한 넓이)×(타일 수)

답

 **둘레가 주어진 직사각형의 넓이 구하기**

독해 문제
3

가로가 11.8 cm이고/ 둘레가 50 cm인 직사각형 모양의 종이가 있습니다./
이 종이의 넓이는 몇 cm²인지 구하세요.

해결해 볼까? ❶ 이 종이의 가로와 세로의 합은 몇 cm?

전략 (직사각형의 둘레)÷2

 답

❷ 이 종이의 세로는 몇 cm?

 답

❸ 이 종이의 넓이는 몇 cm²?

전략 (가로)×(세로)

 답

튀어 오르는 공의 높이 구하기

독해 문제
4

떨어진 높이의 0.7만큼 튀어 오르는 공이 있습니다./
이 공을 4 m 높이에서 떨어뜨렸습니다./
공이 땅에 두 번 닿았다가 튀어 올랐을 때의 높이는 몇 m인지 구하세요.

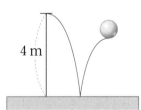

해결해 볼까? ❶ 공이 땅에 한 번 닿았다가 튀어 올랐을 때의 높이는 몇 m?

전략 (처음 떨어진 높이)×0.7

 답

❷ 공이 땅에 두 번 닿았다가 튀어 올랐을 때의 높이는 몇 m?

전략 (두 번째로 떨어진 높이)
=(땅에 한 번 닿았다가 튀어 올랐을 때의 높이)

 답

4

소수의 곱셈

97

{ 수학 독해력 완성하기 }

시간을 소수로 나타내어 계산하기

연계학습 091쪽

독해 문제 5

굵기가 일정한 통나무를 한 번 자르는 데/ 3분 12초가 걸립니다./
이 통나무를 쉬지 않고 5도막으로 자르는 데/ 몇 분이 걸리는지 소수로 나타내세요.

   ……

구하려는 것은? 통나무를 쉬지 않고 ☐도막으로 자르는 데 걸리는 시간

주어진 것은?
- 통나무를 한 번 자르는 데 걸리는 시간: ☐분 ☐초
- 통나무를 자르려는 도막 수: ☐도막

어떻게 풀까?
1 3분 12초는 몇 분인지 소수로 나타내고
2 **자르는 횟수는 도막의 수보다 1 작음**을 이용하여 5도막으로 자르려면 몇 번 잘라야 하는지 구한 다음,
3 5도막으로 자르는 데 걸리는 시간을 소수로 나타내자.

해결해 볼까?

❶ 3분 12초는 몇 분인지 소수로 나타내면?

전략 ▷ 1초＝$\frac{1}{60}$분임을 이용하자.

답 _____

❷ 5도막으로 자르는 횟수는 몇 번?

전략 ▷ (자르는 횟수)＝(도막 수)−1

답 _____

❸ 5도막으로 자르는 데 걸리는 시간은 몇 분인지 소수로 나타내면?

전략 ▷ (한 번 자르는 데 걸리는 시간)×(자르는 횟수)

답 _____

연계학습 095쪽

이어 붙인 색 테이프의 길이 구하기

독해 문제
6

길이가 같은 색 테이프 10장을/ 그림과 같이 0.08 m씩 겹치게 이어 붙였더니/
이어 붙인 색 테이프의 전체 길이가 4.78 m가 되었습니다./
색 테이프 한 장의 길이는 몇 m인지 구하세요.

0.08 m   0.08 m   ······

구하려는 것은? 색 테이프 ☐ 장의 길이

주어진 것은?
  • 색 테이프의 수: ☐ 장
  • 겹친 부분의 길이: ☐ m
  • 이어 붙인 색 테이프의 전체 길이: ☐ m

어떻게 풀까? (색 테이프 10장의 길이의 합)
  ＝(이어 붙인 색 테이프의 전체 길이)＋(겹친 부분의 길이의 합)
  ＝(색 테이프 한 장의 길이)×10   9군데

해결해 볼까?

❶ 겹친 부분의 길이의 합은 몇 m?

전략 겹친 부분의 수는 색 테이프의 수보다 1 작다.

답 _____

❷ 색 테이프 10장의 길이의 합은 몇 m?

전략 (이어 붙인 색 테이프의 전체 길이)＋(❶에서 구한 길이)

답 _____

❸ 색 테이프 한 장의 길이는 몇 m?

전략 (색 테이프 10장의 길이의 합)＝(색 테이프 한 장의 길이)×10

답 _____

4

소수의 곱셈

99

{ 창의·융합·코딩 체험하기 }

 TV, 태블릿, 휴대폰의 크기는/ 화면의 대각선의 길이를 재어 인치로 나타냅니다./
32인치 모니터 화면의 대각선의 길이는 약 몇 cm인가요?

32인치

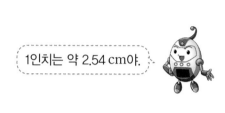

1인치는 약 2.54 cm야.

답 약 _____

 어느 날 태국 돈 1바트가 우리나라 돈으로 다음과 같을 때/
태국 돈 150바트는 우리나라 돈으로 얼마인지/ ☐ 안에 알맞은 수를 써넣으세요.

태국	대한민국
1바트	36.18원

태국	대한민국
150바트	☐원

태국에서 사용하는
돈의 단위는 바트야~

3 지호가 몬드리안의 작품을 보고 그린 그림입니다./
노란색 정사각형의 넓이는 몇 cm²인가요?

5.2 cm

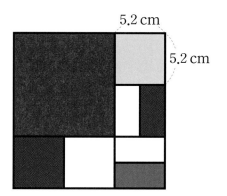

5.2 cm

몬드리안은 빨강, 파랑, 노랑인 삼원색과
검정, 하양, 회색인 무채색만
사용해서 작품을 그렸어~

답 _____

 4 화살표의 [규칙]에 따라 차례대로 계산했을 때/
마지막 빈칸에 알맞은 수를 구하세요.

[규칙]

~~~▶: 0.1을 곱하기   ↓: 0.01을 더하기

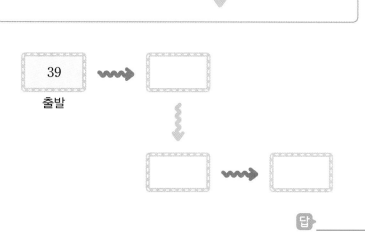

39
출발

답 _____

{ 창의·융합·코딩 **체험**하기 }

코딩 **5** 다음은 두 수의 곱이 1보다 큰지 알아볼 수 있는 순서도입니다./
물음에 답하세요.

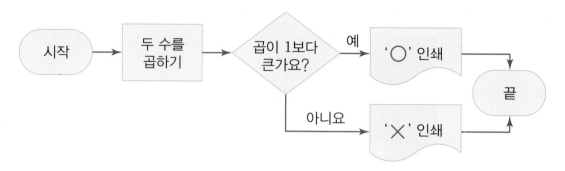

(1) 시작에 0.92와 0.8을 넣으면 무엇이 인쇄되나요?

답

(2) 시작에 3.2와 0.45를 넣으면 무엇이 인쇄되나요?

답

융합 **6** 정아가 윗접시저울로 수평 잡기를 하고 있습니다./
윗접시저울이 수평이 되었다면/ 오른쪽 접시에는 0.5 g짜리 분동을 몇 개 올려놓은 것인가요?

분동 1개
5 g

분동 ?개
0.5 g

답

7

태양에서 지구까지의 거리를 1로 보았을 때/
태양에서 각 행성까지의 상대적인 거리를 나타낸 표입니다./
태양에서 지구까지의 거리를 10 cm로 나타낸다면/
태양에서 토성까지의 거리는 몇 cm로 나타내야 하나요?

▲ ⓒJut/shutterstock

태양에서 각 행성까지의 상대적인 거리

행성	수성	금성	지구	화성	목성	토성	천왕성	해왕성
태양에서 행성까지의 상대적인 거리	0.4	0.7	1.0	1.5	5.2	9.6	19.2	30.0

답 _____

 8

수를 넣으면 마법 통의 규칙에 따라 수가 바뀌어 나옵니다./
4.1을 마법 통에 넣었을 때 나오는 수를 구하세요.

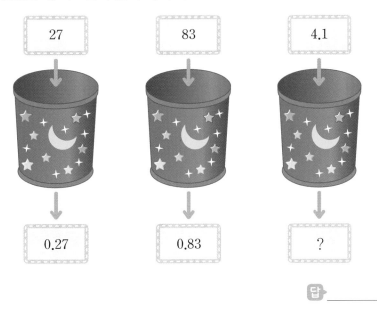

27	83	4.1
0.27	0.83	?

답 _____

4

소수의 곱셈

103

가지고 있는 끈의 길이 구하기

1 지연이는 길이가 0.9 m인 끈 12개를 가지고 있습니다. 지연이가 가지고 있는 끈의 길이는 모두 몇 m인가요?

풀이)

답 _____

몇 배인 거리 구하기

2 학교에서 도서관까지의 거리는 학교에서 윤수네 집까지의 거리의 1.5배입니다. 학교에서 도서관까지의 거리는 몇 km인가요?

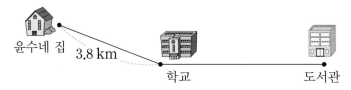

윤수네 집   3.8 km   학교   도서관

풀이)

답 _____

사용한 양 구하기 96쪽

3 어느 식당에서 간장을 어제는 0.75 L 사용했고, 오늘은 어제 사용한 간장의 0.8만큼 사용했습니다. 이 식당에서 어제와 오늘 사용한 간장은 모두 몇 L인지 구하세요.

풀이)

답 _____

●에 알맞은 자연수 구하기 90쪽

4 ●에 알맞은 자연수는 모두 몇 개인지 구하세요.

$$4.7 \times 1.3 < ● < 9$$

풀이▶

답 _____

타일을 붙인 부분의 넓이 구하기 96쪽

5 가로가 2.2 cm, 세로가 7.3 cm인 직사각형 모양의 타일을 바닥에 겹치지 않게 5장 이어 붙였습니다. 바닥에 타일을 붙인 부분의 넓이는 몇 cm²인지 구하세요.

풀이▶

답 _____

시간을 소수로 나타내어 계산하기 91쪽

6 일정한 빠르기로 한 시간 동안 130 km를 갈 수 있는 기차가 있습니다. 같은 빠르기로 이 기차가 3시간 42분 동안 갈 수 있는 거리는 몇 km인지 소수로 나타내세요.

풀이▶

답 _____

4

소수의 곱셈

바르게 계산한 값 구하기 ⌒92쪽

7 어떤 수에 0.7을 곱해야 할 것을 잘못하여 더했더니 10.4가 되었습니다. 바르게 계산한 값을 구하세요.

 풀이

 답 _____

새로 만든 직사각형의 넓이 구하기 ⌒93쪽

8 그림과 같이 직사각형 모양의 텃밭의 가로를 1.5배로 늘리고, 세로를 1.8배로 늘려 새로운 텃밭을 만들려고 합니다. 새로운 텃밭의 넓이는 몇 m²인지 구하세요.

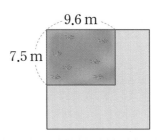

 풀이

답 _____

수 카드로 곱셈식 만들기 94쪽

9 수 카드 중에서 4장을 골라 한 번씩만 사용하여 곱이 가장 크게 되는 (소수 한 자리 수)×(소수 한 자리 수)를 만들고 계산하세요.

5 1 9 3 7 ➡ □.□×□.□

풀이

식 _____ □.□×□.□=□ _____

4 소수의 곱셈

이어 붙인 색 테이프의 길이 구하기 95쪽

10 길이가 8.5 m인 색 테이프 16장을 그림과 같이 3.42 m씩 겹치게 이어 붙였습니다. 이어 붙인 색 테이프의 전체 길이는 몇 m인지 구하세요.

8.5 m   8.5 m   8.5 m

3.42 m   3.42 m   3.42 m

풀이

답 _____

5 직육면체

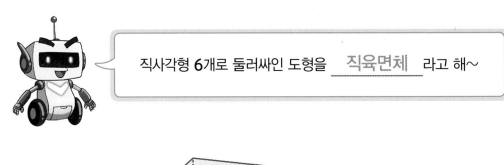

직사각형 6개로 둘러싸인 도형을 <u>직육면체</u> 라고 해~

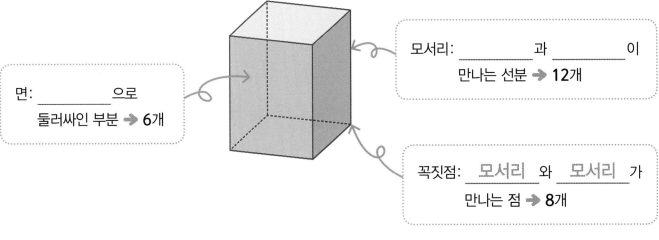

면: _____으로
둘러싸인 부분 ➡ 6개

모서리: _____과 _____이
만나는 선분 ➡ 12개

꼭짓점: <u>모서리</u> 와 <u>모서리</u> 가
만나는 점 ➡ 8개

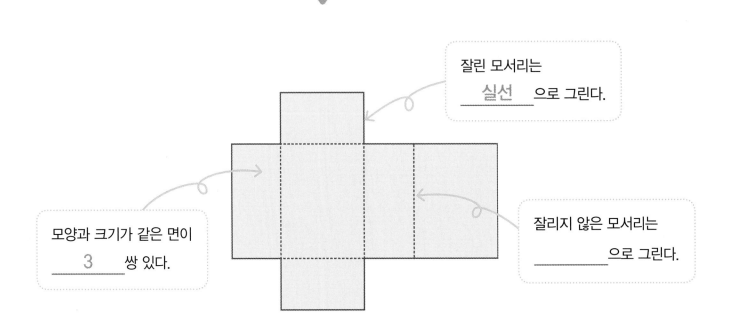

잘린 모서리는
<u>실선</u> 으로 그린다.

모양과 크기가 같은 면이
<u>3</u> 쌍 있다.

잘리지 않은 모서리는
_____으로 그린다.

정사각형 **6**개로 둘러싸인 도형을 ___정육면체___ 라고 해~

모서리의 수: _____ 개

면의 수: _____ 개

꼭짓점의 수: _____ 개

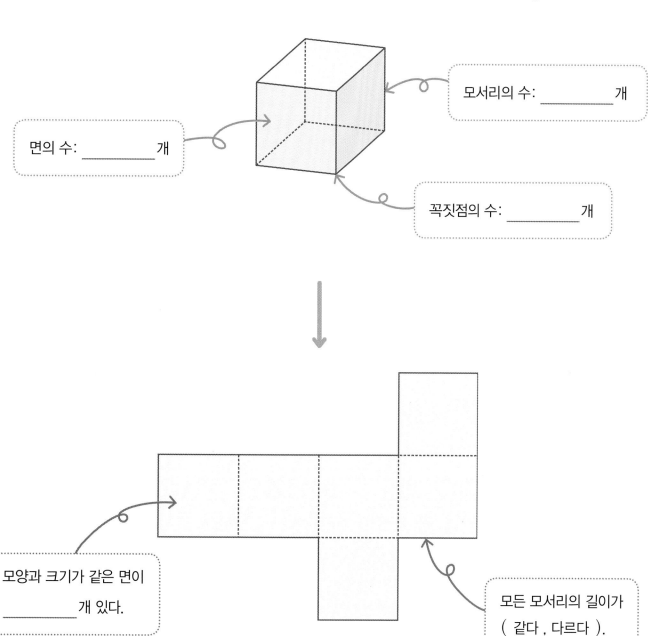

모양과 크기가 같은 면이 _____ 개 있다.

모든 모서리의 길이가 (같다 , 다르다).

문제 해결력 기르기

① 보이는(보이지 않는) 모서리의 길이의 합 구하기

선행 문제 해결 전략

• 직육면체에서 길이가 같은 모서리 찾기

같은 색으로 표시한 모서리는 **서로 평행하므로 길이가 같다.**

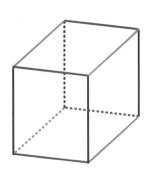

> 길이가 같은 모서리가 **4**개씩 있다.

선행 문제 ①

☐ 안에 알맞은 수를 써넣으세요.

(1)
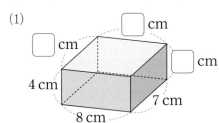

(2)
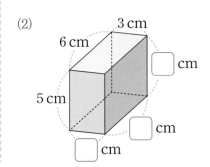

실행 문제 ①

직육면체에서/ 보이는 모서리의 길이의 합은 몇 cm 인지 구하세요.

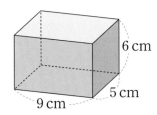

[전략] 보이는 모서리는 실선으로 그려진 모서리이다.

❶ 보이는 모서리는 9 cm, 5 cm, ☐ cm인 모서리가 각각 ☐개씩 있다.

❷ (보이는 모서리의 길이의 합)
  = (9+5+☐)×☐=☐ (cm)

답 _____

쌍둥이 문제 1-1

직육면체에서/ 보이는 모서리의 길이의 합은 몇 cm 인지 구하세요.

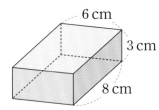

실행 문제 따라 풀기

❶

❷

답 _____

② 평행한 면의 모서리의 길이의 합 구하기

선행 문제 해결 전략

• 직육면체에서 서로 평행한 면 알아보기

> 서로 평행한 면은 마주 보는 면이다.

평행   평행   평행

 서로 평행한 면은
모양과 크기가 같아~

선행 문제 ②

직육면체에서 색칠한 면과 평행한 면을 찾아 빗금을 그어 보세요.

(1)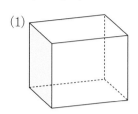

(2)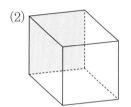

실행 문제 ②

직육면체에서 색칠한 면과 평행한 면의/ 모서리의 길이의 합은 몇 cm인가요?

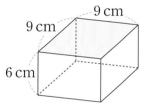

9 cm
9 cm
6 cm

전략 색칠한 면과 마주 보는 면을 찾자.

❶ 색칠한 면과 평행한 면을 찾아 빗금을 그어 보자.

❷ ❶에서 빗금 친 면은 한 변의 길이가 ☐ cm인 정사각형이다.

전략 (정사각형의 둘레)=(한 변의 길이)×4

❸ (색칠한 면과 평행한 면의 모서리의 길이의 합)
= ☐ × 4 = ☐ (cm)

초간단 풀이

❶ 서로 평행한 면은 모양과 크기가
(같다 , 다르다).

❷ 색칠한 면은 한 변의 길이가 ☐ cm인 정사각형이다.

❸ (색칠한 면과 평행한 면의 모서리의 길이의 합)
=(색칠한 면의 모서리의 길이의 합)
= ☐ × 4 = ☐ (cm)

답 _____

답 _____

직육면체

5

111

{ 문제 해결력 기르기 }

③ 전개도에서 선분의 길이 구하기

선행 문제 해결 전략

· 전개도를 접었을 때 만나는 점, 겹치는 선분 찾기

> 전개도를 접었을 때 **같은 색의 점끼리 만나고 같은 색의 선분끼리 겹친다.**

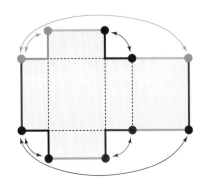

서로 겹치는 선분의 길이가 같아~

선행 문제 ③

정육면체의 전개도를 보고 ◯ 안에 알맞게 써넣으세요.

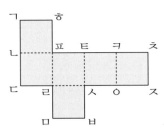

(1) 전개도를 접었을 때

점 ㅁ과 만나는 점은 점 ㄷ, 점 ◯이고,

점 ㅂ과 만나는 점은 점 ◯이다.

(2) 전개도를 접었을 때

선분 ㅁㅂ과 겹치는 선분은 선분 ◯이다.

실행 문제 ③

직육면체의 전개도입니다. /
선분 ㄱㅎ의 길이는 몇 cm인가요?

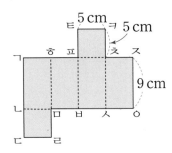

전략 › 전개도를 접었을 때 서로 만나는 점을 찾자.

❶ 점 ㄱ과 만나는 점: 점 ㅈ, 점 ◯

점 ㅎ과 만나는 점: 점 ◯

전략 › 전개도를 접었을 때 서로 겹치는 선분을 찾자.

❷ (선분 ㄱㅎ)= ◯ cm

답 ＿＿＿＿＿＿＿＿＿

쌍둥이 문제 3-1

직육면체의 전개도입니다. /
선분 ㅋㅊ의 길이는 몇 cm인가요?

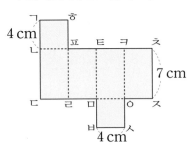

실행 문제 따라 풀기

❶

❷

답 ＿＿＿＿＿＿＿＿＿

④ 전개도의 둘레 구하기

선행 문제 해결 전략

예 정육면체의 전개도의 둘레에서 길이가 같은 선분 찾기

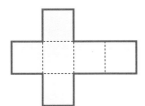

길이가 같은 선분이 **14**개 있다.

예 직육면체의 전개도의 둘레에서 길이가 같은 선분 찾기

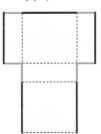

초록색 선분: **8**개
파란색 선분: **2**개
빨간색 선분: **4**개

선행 문제 ④

전개도를 보고 ☐ 안에 알맞은 수를 써넣으세요.

(1) 5 cm

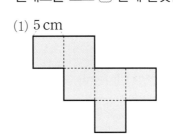

굵은 선에 있는 5 cm인 선분:
☐ 개

(2)

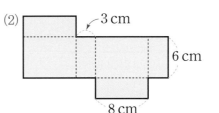

3 cm
6 cm
8 cm

굵은 선에 있는 3 cm인 선분: 8개
6 cm인 선분: ☐ 개
8 cm인 선분: ☐ 개

실행 문제 ④

한 모서리의 길이가 7 cm인 정육면체의 전개도입니다./
전개도의 둘레는 몇 cm인가요?

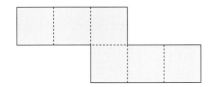

전략 전개도의 둘레에서 길이가 같은 선분을 모두 찾자.

❶ 전개도의 둘레에는 길이가 7 cm인 선분이 ☐ 개 있다.

❷ (전개도의 둘레)
  $= 7 \times$ ☐ $=$ ☐ (cm)

답 _____

쌍둥이 문제 4-1

한 모서리의 길이가 9 cm인 정육면체의 전개도입니다./
전개도의 둘레는 몇 cm인가요?

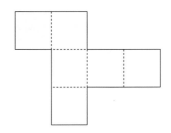

실행 문제 따라 풀기

❶

❷

답 _____

직육면체

{ 문제 **해결력** 기르기 }

⑤ 한 모서리의 길이 구하기

선행 문제 해결 전략

• 직육면체의 모든 모서리의 길이의 합 구하기

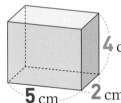

길이가 같은 모서리가 4개씩 있다.

➡ (모든 모서리의 길이의 합)
   =(**5**+**2**+**4**)×**4**=44 (cm)
   <u>길이가 서로 다른 세 모서리의 길이의 합</u>

• 정육면체의 모든 모서리의 길이의 합 구하기

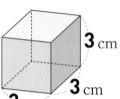

모서리 12개의 길이가 모두 같다.

➡ (모든 모서리의 길이의 합)
   =**3**×**12**=36 (cm)

선행 문제 ⑤

모든 모서리의 길이의 합은 몇 cm인지 구하세요.

(1)
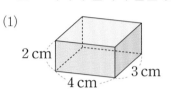

풀이 ▶ 길이가 4 cm, 3 cm, 2 cm인
모서리가 각각 ☐개씩 있다.

➡ (모든 모서리의 길이의 합)
   =(4+3+2)×☐=☐ (cm)

(2)
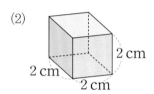

풀이 ▶ 길이가 2 cm인 모서리가 ☐개 있다.

➡ (모든 모서리의 길이의 합)
   =2×☐=☐ (cm)

실행 문제 ⑤

정육면체의 모든 모서리의 길이의 합은 84 cm입니다./ 한 모서리의 길이는 몇 cm인가요?

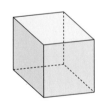

❶ 정육면체는 모서리 ☐개의 길이가 모두 같다.

전략 ▶ (모든 모서리의 길이의 합)÷(길이가 같은 모서리의 수)

❷ (한 모서리의 길이)
   =84÷☐=☐ (cm)

답 _____

쌍둥이 문제 5-1

정육면체의 모든 모서리의 길이의 합은 72 cm입니다./ 한 모서리의 길이는 몇 cm인가요?

실행 문제 따라 풀기

❶

❷

답 _____

⑥ 사용한 끈의 길이 구하기

해결 전략

예 오른쪽 직육면체 모양의 상자를 끈으로 묶었을 때 끈으로 둘러싼 부분 알아보기

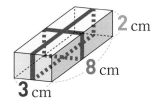

> 끈으로 둘러싼 부분은 **각 모서리의 길이와 같은 부분이 몇 군데인지** 알아보자.

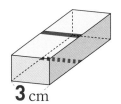

길이가 **3** cm인 부분
➔ **2**군데

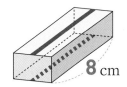

길이가 **8** cm인 부분
➔ **2**군데

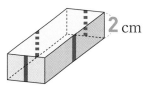

길이가 **2** cm인 부분
➔ **4**군데

실행 문제 6

그림과 같이 직육면체 모양의 상자를/
끈으로 묶었습니다./
상자를 묶는 데 사용한 끈은 모두 몇 cm인가요?/
(단, 매듭의 길이는 생각하지 않습니다.)

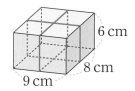

전략 끈으로 둘러싼 부분은 각 모서리의 길이와 같은 부분이 몇 군데인지 알아보자.

❶ 끈으로 둘러싼 부분을 길이별로 알아보면

　길이가 9 cm인 부분: 2군데

　길이가 8 cm인 부분: ☐군데

　길이가 6 cm인 부분: ☐군데

전략 ❶에서 구한 끈의 길이의 합을 구하자.

❷ (상자를 묶는 데 사용한 끈의 길이)

　$= 9 \times 2 + 8 \times \boxed{} + 6 \times \boxed{}$

　$= \boxed{}$ (cm)

답 _____

쌍둥이 문제 6-1

그림과 같이 직육면체 모양의 상자를/
끈으로 묶었습니다./
상자를 묶는 데 사용한 끈은 모두 몇 cm인가요?/
(단, 매듭의 길이는 생각하지 않습니다.)

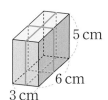

실행 문제 따라 풀기

❶

❷

답 _____

{ 수학 사고력 키우기 }

😊 보이는(보이지 않는) 모서리의 길이의 합 구하기

연계학습 110쪽

대표 문제 ①

직육면체에서/ 보이지 않는 모서리의 길이의 합은 몇 cm인지 구하세요.

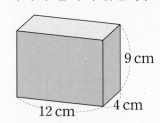

9 cm
12 cm
4 cm

😊 **구하려는 것은?**

직육면체에서 보이지 않는 [   ]의 길이의 합

🐻 **주어진 것은?**

직육면체에서 길이가 서로 다른 모서리 3개의 길이: 12 cm, 4 cm, [ ] cm

😊 **해결해 볼까?**

❶ 직육면체에서 보이지 않는 모서리를 점선으로 표시하기

❷ ❶에서 표시한 보이지 않는 모서리의 길이를 각각 쓰면?

　전략▷ ❶에서 표시한 모서리와 서로 평행한
　　　　모서리를 찾자.

답 _____

❸ 보이지 않는 모서리의 길이의 합은 몇 cm?

　전략▷ ❷에서 구한 모서리의 길이를 모두 더하자.

답 _____

쌍둥이 문제 1-1

직육면체에서/ 보이지 않는 모서리의 길이의 합은 몇 cm인지 구하세요.

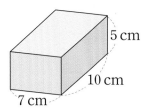

5 cm
10 cm
7 cm

😊 **대표 문제 따라 풀기**

❶

❷

❸

답 _____

평행한 면의 모서리의 길이의 합 구하기

연계학습 111쪽

대표 문제 ② 오른쪽 직육면체에서/ 면 ㄱㄴㄷㄹ과 평행한 면의/ 모서리의 길이의 합은 몇 cm인지 구하세요.

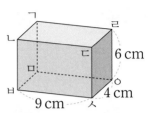

😊 **구하려는 것은?**

직육면체에서 면 ㄱㄴㄷㄹ과 [ ]한 면의 모서리의 길이의 합

😊 **어떻게 풀까?**

1 면 ㄱㄴㄷㄹ과 평행한 면을 찾고

2 1에서 찾은 면의 네 모서리의 길이를 각각 구한 다음

3 2에서 구한 네 모서리의 길이의 합을 구하자.

😊 **해결해 볼까?**

❶ 면 ㄱㄴㄷㄹ과 평행한 면은?

전략 면 ㄱㄴㄷㄹ과 마주 보는 면을 찾자. 답 _____

❷ ❶에서 찾은 면의 네 모서리의 길이는 각각 몇 cm?

전략 ❶에서 찾은 면의 모서리와 서로 평행한 답 _____
모서리를 찾자.

❸ ❷에서 구한 네 모서리의 길이의 합은 몇 cm?

답 _____

쌍둥이 문제 2-1

오른쪽 직육면체에서/ 면 ㄱㅁㅇㄹ과 평행한 면의/ 모서리의 길이의 합은 몇 cm인지 구하세요.

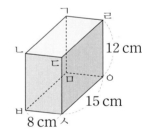

❶

❷

❸

답 _____

5

직육면체

{ 수학 **사고력** 키우기 }

연계학습 112쪽

전개도에서 선분의 길이 구하기

대표 문제 ③

오른쪽 직육면체의 전개도에서/
선분 ㅅㅈ의 길이는 몇 cm인지 구하세요.

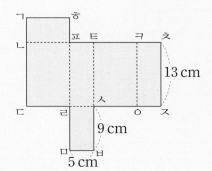

구하려는 것은?

선분 ㅅㅈ의 길이

주어진 것은?

• 선분 ㅊㅈ의 길이: 13 cm

• 선분 ㅅㅂ의 길이: ☐ cm　　• 선분 ㅁㅂ의 길이: ☐ cm

해결해 볼까?

❶ 전개도를 접었을 때 선분 ㅅㅇ과 겹치는 선분을 찾고, 그 길이를 쓰면?

전략▷ 서로 만나는 점을 이용해서
겹치는 선분을 찾자.　답 _____, _____

❷ 전개도를 접었을 때 선분 ㅇㅈ과 겹치는 선분을 찾고, 그 길이를 쓰면?

답 _____, _____

❸ 선분 ㅅㅈ의 길이는 몇 cm?

전략▷ (선분 ㅅㅇ)+(선분 ㅇㅈ)　答 _____

5

직육면체

쌍둥이 문제

3-1

오른쪽 직육면체의 전개도에서/
선분 ㄱㄷ의 길이는 몇 cm인지 구하세요.

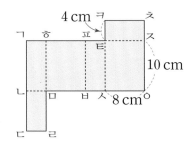

대표 문제 따라 풀기

❶

❷

❸

답 _____

전개도의 둘레 구하기

연계학습 113쪽

대표 문제 4

오른쪽은 직육면체의 전개도입니다. / 전개도의 둘레는 몇 cm인지 구하세요.

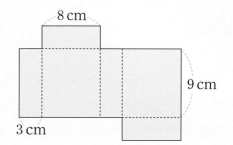

😊 **구하려는 것은?**

직육면체의 전개도의 둘레

🐻 **어떻게 풀까?**

전개도를 접었을 때 **서로 겹치거나 평행한 선분을 찾아 각 선분의 길이를 구하자.**

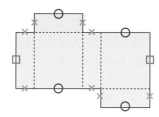

○표 한 선분,
×표 한 선분,
□표 한 선분끼리
길이가 같다.

🐻 **해결해 볼까?**

❶ 전개도의 둘레에는 길이가 8 cm, 9 cm, 3 cm인 선분이 각각 몇 개?

답 8 cm: ☐ 개, 9 cm: ☐ 개, 3 cm: ☐ 개

❷ 전개도의 둘레는 몇 cm?

답 _____

쌍둥이 문제 4-1

오른쪽은 직육면체의 전개도입니다. / 전개도의 둘레는 몇 cm인지 구하세요.

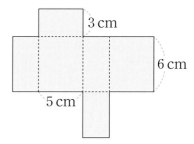

😊 **대표 문제 따라 풀기**

❶

❷

답 _____

{ 수학 사고력 키우기 }

😊 **한 모서리의 길이 구하기**

ⓒ 연계학습 114쪽

대표 문제 5 오른쪽 직육면체의 모든 모서리의 길이의 합은 96 cm입니다. / ㉠에 알맞은 수를 구하세요.

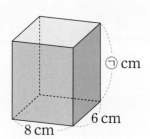

㉠ cm
6 cm
8 cm

😊 **구하려는 것은?** 직육면체에서 ㉠에 알맞은 수

😊 **어떻게 풀까?**

(길이가 ㉠ cm인 모서리 **4**개의 길이의 합)
＝(모든 모서리의 길이의 합)
　　ー(길이가 **8 cm**인 모서리 **4**개와 **6 cm**인 모서리 **4**개의 길이의 합)

😊 **해결해 볼까?**

❶ 직육면체에서 길이가 8 cm, 6 cm, ㉠ cm인 모서리가 각각 몇 개?

【전략】 길이가 같은 모서리가 4개씩 있다.

답　8 cm: ⬜개, 6 cm: ⬜개, ㉠ cm: ⬜개

❷ 길이가 8 cm인 모서리 4개와 6 cm인 모서리 4개의 길이의 합은 몇 cm?

답 _____

❸ ㉠에 알맞은 수는?

【전략】 (모든 모서리의 길이의 합)ー(❷에서 구한 길이)
＝(길이가 ㉠ cm인 모서리 4개의 길이의 합)

답 _____

쌍둥이 문제 5-1 오른쪽 직육면체의 모든 모서리의 길이의 합은 80 cm입니다. / ㉠에 알맞은 수를 구하세요.

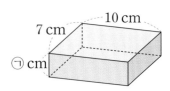

7 cm　10 cm
㉠ cm

😊 **대표 문제 따라 풀기**

❶

❷

❸

답 _____

사용한 끈의 길이 구하기

연계학습 115쪽

대표 문제 6

오른쪽 그림과 같이 직육면체 모양의 상자를 끈으로 묶어 포장했습니다. /
매듭을 묶는 데 사용한 끈의 길이가 10 cm일 때 /
상자를 포장하는 데 사용한 끈은 모두 몇 cm인지 구하세요.

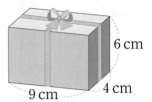

6 cm
9 cm
4 cm

구하려는 것은?

상자를 포장하는 데 사용한 끈의 길이

주어진 것은?

- 직육면체 모양의 상자에서 길이가 다른 모서리 3개의 길이: 9 cm, 4 cm, ☐ cm

- 매듭을 묶는 데 사용한 끈의 길이: ☐ cm

해결해 볼까?

❶ 끈으로 둘러싼 부분은 길이별로 각각 몇 군데?

전략 끈으로 둘러싼 부분은 각 모서리의 길이와 같은 부분이 몇 군데인지 알아보자.

답 9 cm: ☐ 군데, 4 cm: ☐ 군데, 6 cm: ☐ 군데

❷ 상자를 둘러싸는 데 사용한 끈은 몇 cm?

답

❸ 상자를 포장하는 데 사용한 끈은 모두 몇 cm?

전략 (❷에서 구한 길이)+(매듭을 묶는 데 사용한 끈의 길이)

답

쌍둥이 문제 6-1

오른쪽 그림과 같이 직육면체 모양의 상자를 끈으로 묶어 포장했습니다. /
매듭을 묶는 데 사용한 끈의 길이가 15 cm일 때 /
상자를 포장하는 데 사용한 끈은 모두 몇 cm인지 구하세요.

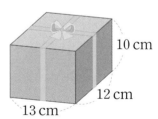

10 cm
12 cm
13 cm

대표 문제 따라 풀기

❶

❷

❸

답

5

직육면체

121

{ 수학 독해력 완성하기 }

직육면체를 보고 전개도에 선 긋기

독해 문제 1

직육면체의 세 면에 그림과 같이 선을 그었습니다. /
이 직육면체의 전개도가 오른쪽과 같을 때 / 전개도에 선이 지나간 자리를 그려 넣으세요.

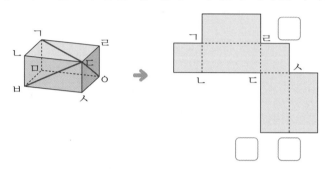

해결해 볼까?

❶ 직육면체의 전개도의 ☐ 안에 알맞은 기호를 쓰면?

전략 ▷ 직육면체에서 꼭짓점을 확인하고 전개도에서 각 꼭짓점의 위치를 찾자.

❷ 직육면체의 전개도에 선이 지나간 자리를 그려 넣기

전략 ▷ 선이 그어진 직육면체의 면을 알아보고 선이 그어진 꼭짓점을 찾자.

주사위의 빈 곳에 알맞은 눈의 수 구하기

독해 문제 2

오른쪽 전개도로 서로 마주 보는 면의 눈의 수의 합이 7인 /
주사위를 만들려고 합니다. /
면 ㉠, ㉡, ㉢에 알맞은 눈의 수를 각각 구하세요.

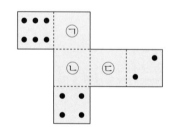

해결해 볼까?

❶ 면 ㉠, ㉡, ㉢과 마주 보는 면의 눈의 수는?

전략 ▷ 전개도를 접었을 때 서로 마주 보는 면을 찾자.

답 ㉠: _____ , ㉡: _____ , ㉢: _____

❷ 면 ㉠, ㉡, ㉢에 알맞은 눈의 수는?

전략 ▷ ❶에서 찾은 면과 눈의 수의 합이 7이 되도록 만들자.

답 ㉠: _____ , ㉡: _____ , ㉢: _____

직육면체의 전개도에서 수직인 면의 둘레 구하기

독해 문제 **3**

빗금 친 면과 수직인 면을/ 직육면체의 전개도에서 모두 찾아 색칠하고,/
색칠한 부분의 둘레는 몇 cm인지 구하세요.

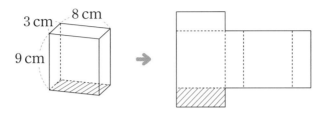

해결해 볼까? ❶ 빗금 친 면과 수직인 면을 직육면체의 전개도에서 모두 찾아 색칠하기

❷ ❶에서 색칠한 부분의 가로와 세로는 각각 몇 cm?

🔲 가로 : _____ , 세로 : _____

❸ 색칠한 부분의 둘레는 몇 cm?

전략 ▷ 색칠한 부분의 둘레는 직사각형의 둘레로 구하자. 🔲 _____

전개도를 접었을 때 모든 모서리의 길이의 합 구하기

독해 문제 **4**

오른쪽 직육면체의 전개도를 접었을 때/
모든 모서리의 길이의 합은 몇 cm인지 구하세요.

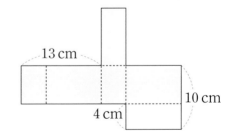

해결해 볼까? ❶ 직육면체의 전개도를 접었을 때 길이가 서로 다른 세 모서리의 길이를 각각 구하면?

🔲 _____

❷ 직육면체의 전개도를 접었을 때 모든 모서리의 길이의 합은 몇 cm?

전략 ▷ (길이가 서로 다른 세 모서리의 길이의 합)×4 🔲 _____

5

직육면체

123

{ 수학 독해력 완성하기 }

☺ **평행한 면의 모서리의 길이의 합 구하기**

Ⓖ 연계학습 117쪽

독해 문제 5

직육면체에서 면 ㄱㄴㄷㄹ의 둘레가 40 cm일 때/
모든 모서리의 길이의 합은 몇 cm인지 구하세요.

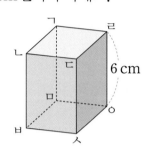

😊 **구하려는 것은?** 직육면체의 모든 모서리의 길이의 합

😊 **주어진 것은?** ● 면 ㄱㄴㄷㄹ의 둘레: ☐ cm   ● 모서리 ㄹㅇ의 길이: ☐ cm

😊 **어떻게 풀까?**
1 면 ㄱㄴㄷㄹ과 둘레가 같은 면을 찾고
2 **직육면체에서 서로 평행한 모서리는 길이가 같음을 이용하여**
   모서리 ㄹㅇ과 길이가 같은 모서리를 모두 찾은 다음,
3 모든 모서리의 길이의 합을 구하자.

😊 **해결해 볼까?**

❶ 면 ㄱㄴㄷㄹ과 둘레가 같은 면은?
   〔전략〕 평행한 면을 찾자.   답 _____

❷ 모서리 ㄹㅇ과 길이가 같은 모서리는 모두 몇 개?
   답 _____

❸ 모든 모서리의 길이의 합을 구하는 식을 쓰면?
   〔식〕 (면 ㄱㄴㄷㄹ의 둘레) × ☐ + (모서리 ㄹㅇ의 길이) × ☐

❹ 모든 모서리의 길이의 합은 몇 cm?
   답 _____

🙂 전개도에서 선분의 길이 구하기

🔵 연계학습 118쪽

독해 문제 6

직육면체의 전개도입니다. /
선분 ㄷㄹ의 길이는 몇 cm인지 구하세요.

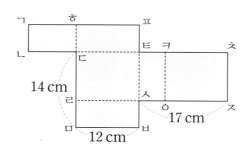

😊 **구하려는 것은?** 선분 ㄷㄹ의 길이

🐻 **주어진 것은?**
● 선분 ㄷㅁ의 길이: 14 cm
● 선분 ㅁㅂ의 길이: ☐ cm
● 선분 ㅅㅈ의 길이: ☐ cm

🐻 **어떻게 풀까?** 전개도를 접었을 때 **서로 겹치거나 평행한 선분은 길이가 같음을 이용**하여 구하자.

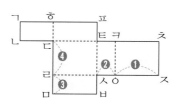

😊 **해결해 볼까?**

❶ 선분 ㅇㅈ의 길이는 몇 cm?

[전략] 선분 ㅇㅈ과 겹치는 선분을 찾자.

답 _____

❷ 선분 ㅅㅇ의 길이는 몇 cm?

[전략] (선분 ㅅㅇ)=(선분 ㅅㅈ)−(선분 ㅇㅈ)

답 _____

❸ 선분 ㄹㅁ의 길이는 몇 cm?

답 _____

❹ 선분 ㄷㄹ의 길이는 몇 cm?

[전략] (선분 ㄷㄹ)=(선분 ㄷㅁ)−(선분 ㄹㅁ)

답 _____

5

직육면체

125

STEP 4 { 창의·융합·코딩 **체험**하기 }

융합 ① 다음과 같은 정육면체 모양의 큐브에서/ 초록색 면과 평행한 면이 파란색일 때,/ 초록색 면과 수직인 면은 어떤 색깔인지 모두 쓰세요.

> 큐브의 6개의 면에 칠해진 색깔은
> 초록색, 파란색, 빨간색, 흰색,
> 주황색, 노란색이야~

답 _____

코딩 ② 직육면체의 한 면의 모양을 그리는 프로그램을 만들었습니다./ 이 프로그램을 실행했을 때/ 만들어지는 직육면체의 겨냥도를 완성하세요.

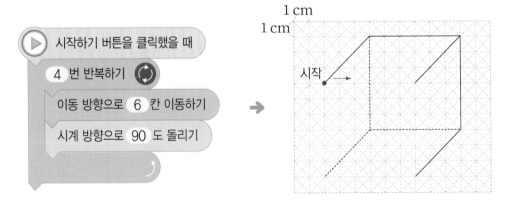

[융합 3 ~ 4] 주사위에서 서로 마주 보는 면의 눈의 수의 합은 7입니다. /
[보기]와 같이 화살표 방향으로 주사위를 굴렸을 때 / 바닥에 닿는 면의 눈의 수를 쓰세요.

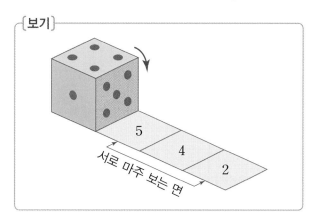

[보기]

5

4

2

서로 마주 보는 면

융합 3

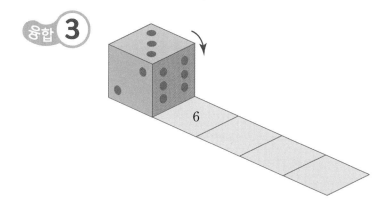

6

처음 바닥에 닿는 면의
눈의 수는 6이야~

5

직육면체

127

융합 4

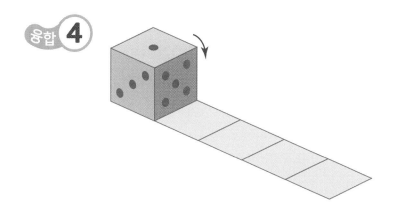

서로 마주 보는 면의
눈의 수의 합이 7임을
이용해~

{ 창의·융합·코딩 체험하기 }

융합 5 다음과 같은 직육면체 모양의 벽돌이 있습니다./
벽돌에서 보이지 않는 모서리의 길이의 합은 몇 cm인가요?

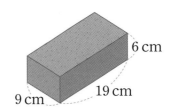

6 cm
19 cm
9 cm

답 _____

창의 6 주사위를 굴려서 나오는 눈이 그려진 면과 평행한 면의 눈의 수가 나오는 모니터입니다./
다음과 같은 전개도로 주사위를 만들어 굴렸을 때/ 나온 눈의 수가 3이라면 모니터에 나오는 수는
얼마인가요?

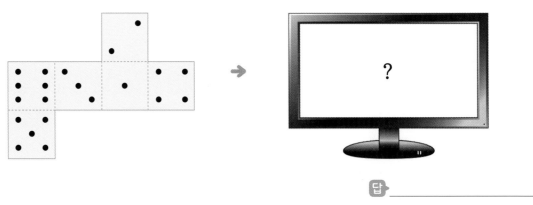

?

답 _____

뚜껑이 없는 정육면체 모양의 상자의 옆면에 모두 똑같은 무늬가 있습니다./
상자의 전개도에 무늬를 그려 넣으세요.

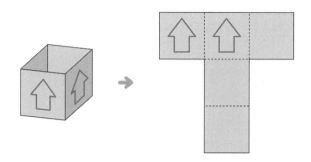

[8~9] 각 면에 ●, ■, ▲, ★, ♥, ◆ 모양이 서로 다른 위치에 그려져 있는 정육면체가 2개 있습니다./ 다음과 같이 각 정육면체를 세 방향에서 보았을 때,/ 전개도의 면 ㉠에 알맞은 모양을 구하세요.

5

직육면체

창의 8

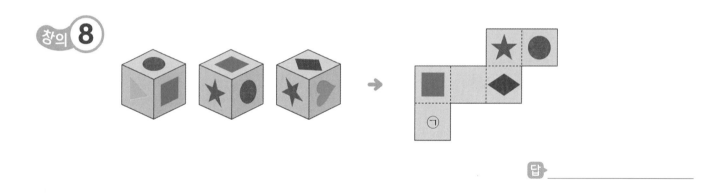

답 _____

전개도에서 면 ㉠과 평행한 면을 먼저 찾아봐~

129

창의 9

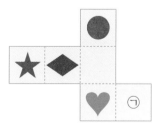

답 _____

종합평가

{ 실전 마무리 하기 }

직육면체에서 평행한 면 알아보기

1 오른쪽 직육면체에서 서로 평행한 면은 모두 몇 쌍인가요?

풀이▶

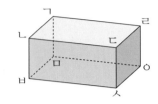

답 _____

전개도를 접었을 때 겹치는 선분 찾기

2 전개도를 접었을 때 선분 ㅁㅂ과 겹치는 선분을 찾아 쓰세요.

풀이▶

답 _____

보이는(보이지 않는) 모서리의 길이의 합 구하기 116쪽

3 직육면체에서 보이지 않는 모서리의 길이의 합은 몇 cm인가요?

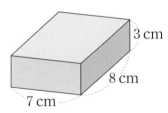

풀이▶

답 _____

평행한 면의 모서리의 길이의 합 구하기 ⌒117쪽

4 오른쪽 직육면체에서 면 ㄴㅂㅁㄱ과 평행한 면의 모서리의 길이의
합은 몇 cm인가요?

풀이

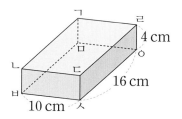

답 _____

전개도에서 선분의 길이 구하기 ⌒118쪽

5 오른쪽 직육면체의 전개도에서 선분 ㄹㅂ의 길이는 몇
cm인가요?

풀이

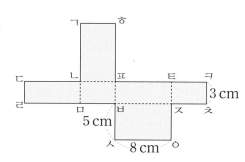

답 _____

전개도의 둘레 구하기 ⌒119쪽

6 오른쪽은 직육면체의 전개도입니다. 전개도의 둘레는 몇 cm인
가요?

풀이

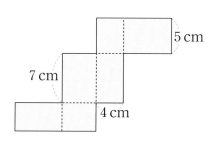

답 _____

주사위의 빈 곳에 알맞은 눈의 수 구하기 ⌒122쪽

7 다음 전개도로 서로 마주 보는 면의 눈의 수의 합이 7인 주사위를 만들려고 합니다. 면 ㉠, ㉡, ㉢에 알맞은 눈의 수를 각각 구하세요.

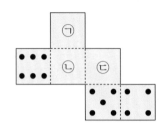

> 풀이

> 답 ㉠: _____ , ㉡: _____ , ㉢: _____

직육면체의 전개도에서 수직인 면의 둘레 구하기 ⌒123쪽

8 빗금 친 면과 수직인 면을 직육면체의 전개도에서 모두 찾아 색칠하고, 색칠한 부분의 둘레는 몇 cm인지 구하세요.

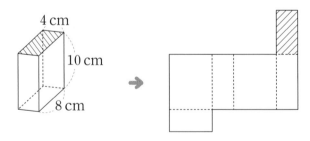

> 풀이

> 답 _____

한 모서리의 길이 구하기 ⌐120쪽

9 직육면체의 모든 모서리의 길이의 합은 104 cm입니다. ㉠에 알맞은 수를 구하세요.

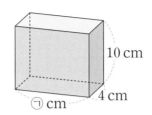

10 cm
4 cm
㉠ cm

답 _____

사용한 끈의 길이 구하기 ⌐121쪽

10 그림과 같이 직육면체 모양의 상자를 끈으로 묶어 포장했습니다. 매듭을 묶는 데 사용한 끈의 길이가 18 cm일 때 상자를 포장하는 데 사용한 끈은 모두 몇 cm인가요?

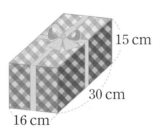

15 cm
30 cm
16 cm

풀이▶

답 _____

6 평균과 가능성

FUN 한 이야기

서우와 친구들의 턱걸이 기록을 나타낸 표입니다. /

턱걸이 기록이 평균보다 많은 학생은 누구인가요?

턱걸이 기록

이름	서우	천희	수연
기록(번)	4	6	5

평균을 구한 다음, 평균과 비교하여
평균보다 많이 한 사람을 찾자.

(턱걸이 기록의 평균)＝(턱걸이 기록의 합)÷(학생 수)

$$= (4+6+5) \div 3 = \boxed{} \text{(번)}$$

난 턱걸이를
4번 했으니까

4번 $<$ 5번
└→ 평균

평균보다 적게 했어.

서우

난 턱걸이를
6번 했으니까

6번 $>$ 5번
└→ 평균

평균보다 많이 했어.

천희

난 턱걸이를
5번 했으니까

5번 $=$ 5번
└→ 평균

평균과 같아.

수연

답 _____

{ 문제 해결력 기르기 }

① 평균을 구하여 자료의 값 비교하기

선행 문제 해결 전략

(평균)
＝(자료의 값을 모두 더한 수)÷(자료의 수)

예 주어진 수의 평균보다 큰 수와 작은 수 찾기

10	6	8

(평균)＝(10＋6＋8)÷3＝24÷3＝8

┌ 평균보다 큰 수: 10(＞8)
└ 평균보다 작은 수: 6(＜8)

선행 문제 ①

주어진 수의 평균보다 큰 수와 작은 수를 각각 찾아 쓰세요.

45	28	35

풀이 (평균)＝(45＋28＋35)÷3
　　　　＝□÷3
　　　　＝□

┌ 평균보다 큰 수: □
└ 평균보다 작은 수: □, □

실행 문제 ①

현수의 과목별 점수를 나타낸 표입니다. /
점수가 평균보다 높은 과목을 찾아 쓰세요.

과목별 점수

과목	국어	수학	사회	과학
점수(점)	94	88	85	89

전략 (과목별 점수의 합)÷(과목 수)

❶ (점수의 평균)
　＝(94＋88＋85＋□)÷4
　＝□÷4
　＝□(점)

전략 ❶에서 구한 점수보다 높은 점수를 찾자.

❷ 점수가 평균보다 높은 과목은 □이다.

답 ＿＿＿＿＿＿＿＿

쌍둥이 문제 1-1

주호가 4일 동안 운동한 시간을 나타낸 표입니다. /
운동한 시간이 평균보다 적은 요일을 찾아 쓰세요.

요일별 운동한 시간

요일	월	화	수	목
시간(분)	40	44	35	41

실행 문제 따라 풀기

❶

❷

답 ＿＿＿＿＿＿＿＿

② 평균을 구하여 자료의 값 예상하기

선행 문제 해결 전략

 제기차기 기록을 보고 2회까지의 기록의 평균과 3회까지의 기록의 평균이 같으려면 3회에는 제기차기를 몇 개 해야 하는지 구하기

> 1회: 8개, 2회: 10개

2회까지의 평균과
3회까지의 평균이 같으려면
(3회의 기록)=(2회까지의 평균)
이어야 한다.

(2회까지의 평균)=(8+10)÷2=**9**(개)

➡ 3회에는 제기차기를 **9**개 해야 한다.

> 3회의 기록이 9개보다 많으면
> 3회까지의 평균은 9개보다 많아진다.

선행 문제 ②

상훈이의 줄넘기 기록을 나타낸 표입니다. 4회까지의 기록의 평균이 3회까지의 기록의 평균과 같으려면 4회에는 줄넘기를 몇 번 해야 하는지 구하세요.

상훈이의 줄넘기 기록

회	1회	2회	3회	4회
기록(번)	45	54	51	

풀이 ▸ 3회까지의 평균과
4회까지의 평균이 같으려면
(4회의 기록)=(◻회까지의 평균)
이어야 한다.
(3회까지의 평균)
=(45+54+51)÷◻=◻(번)
➡ 4회에는 줄넘기를 ◻번 해야 한다.

실행 문제 ②

연재가 4일 동안 읽은 독서량을 나타낸 표입니다. /
월요일부터 금요일까지 읽은 독서량의 평균이 / 4일 동안 읽은 독서량의 평균보다 많으려면 /
금요일의 독서량은 최소 몇 쪽보다 많아야 하는지 구하세요.

연재의 독서량

요일	월	화	수	목
독서량(쪽)	46	50	53	47

전략 ▷ (4일 동안 읽은 독서량의 합)÷(날수)

❶ (4일 동안 읽은 독서량의 평균)=(46+50+53+47)÷◻=◻(쪽)

❷ 금요일의 독서량은 4일 동안 읽은 독서량의 평균보다 (많아야 , 적아야) 한다.
따라서 금요일의 독서량은 최소 ◻쪽보다 많아야 한다.

답 ＿＿＿＿＿＿＿＿＿＿＿＿

③ 일이 일어날 가능성 비교하기

선행 문제 해결 전략

• 일이 일어날 가능성을 수로 표현하기

불가능하다	반반이다	확실하다
0	$\dfrac{1}{2}$	**1**

(예) 1부터 6까지의 눈이 그려진 주사위를 한 번 굴렸을 때 일이 일어날 가능성 알아보기

- 눈의 수가 0일 가능성: **불가능하다** ➡ **0**

- 눈의 수가 짝수일 가능성: **반반이다** ➡ $\dfrac{1}{2}$
  <u>2, 4, 6</u>

- 눈의 수가 1부터 6까지 나올 가능성: **확실하다** ➡ **1**

선행 문제 ③

일이 일어날 가능성을 수로 표현해 보세요.

(1)
> 동전 한 개를 던졌을 때 숫자 면일 가능성

풀이 숫자 면일 가능성은 '반반이다'이므로 수로 표현하면 □ 이다.

(2)
> 검은색 공 2개가 들어 있는 주머니에서 공 1개를 꺼낼 때 검은색 공일 가능성

풀이 꺼낸 공이 검은색일 가능성은 '확실하다' 이므로 수로 표현하면 □ 이다.

실행 문제 ③

1부터 6까지의 눈이 그려진 주사위를 한 번 굴렸을 때/ 일이 일어날 가능성이 더 높은 것의 기호를 쓰세요.

> ㉠ 주사위의 눈의 수가 홀수일 가능성
> ㉡ 주사위의 눈의 수가 7일 가능성

전략 일이 일어날 가능성을 수로 표현하자.

❶ ㉠ 주사위의 눈의 수 중 홀수는 1, □, □ 이므로 가능성은 '반반이다'이다.

➡ $\left(0 , \dfrac{1}{2} , 1 \right)$

㉡ 주사위에는 7이 없으므로 가능성은 '불가능하다'이다. ➡ $\left(0 , \dfrac{1}{2} , 1 \right)$

❷ 일이 일어날 가능성이 더 높은 것: □

답_____

쌍둥이 문제 ③-1

흰색 공 1개와 검은색 공 1개가 들어 있는 주머니에서 공 1개를 꺼낼 때/ 일이 일어날 가능성이 더 높은 것의 기호를 쓰세요.

> ㉠ 파란색 공일 가능성
> ㉡ 흰색 공일 가능성

실행 문제 따라 풀기

❶

❷

답_____

④ 조건에 알맞게 회전판 색칠하기

선행 문제 해결 전략

회전판에서 **차지하는 부분이 넓을수록**
일이 일어날 가능성이 높다.

예 화살이 노란색에 멈출 가능성 알아보기

 : 화살이 **노란색**에 멈출 가능성은 **확실하다.**

 : 화살이 **노란색**에 멈출 가능성이 **초록색**에 멈출 가능성보다 **더 높다.**

 : 화살이 **노란색**에 멈출 가능성과 **초록색**에 멈출 가능성이 **같다.**

선행 문제 ④

빨간색과 파란색으로 이루어진 회전판을 만들려고
합니다. 물음에 답하세요.

(1) 화살이 빨간색에 멈출 가능성이 더 높은 회전판
이 되도록 색칠하세요.

(2) 화살이 빨간색에 멈출 가능성과 파란색에 멈출
가능성이 같은 회전판이 되도록 색칠하세요.

실행 문제 ④

[조건]에 알맞은 회전판이 되도록
색칠하려고 합니다. /
㉠에 알맞은 색을 구하세요.

[조건]
• 화살이 빨간색에 멈출 가능성이 가장 높습니다.
• 화살이 파란색에 멈출 가능성은 노란색에 멈출 가능성의 2배입니다.

전략 > 가능성이 높을수록 넓은 부분을 차지한다.

❶ 가장 넓은 부분에 칠할 색: ☐

❷ 가장 좁은 부분에 칠할 색: ☐

❸ ㉠에 알맞은 색: ☐

답 _____

쌍둥이 문제 4-1

[조건]에 알맞은 회전판이 되도록
색칠하려고 합니다. /
㉠에 알맞은 색을 구하세요.

[조건]
• 화살이 주황색에 멈출 가능성이 가장 높습니다.
• 화살이 초록색에 멈출 가능성은 보라색에 멈출 가능성의 3배입니다.

실행 문제 따라 풀기

❶

❷

❸

답 _____

⑤ 모르는 자료의 값 구하기

선행 문제 해결 전략

(자료의 값을 모두 더한 수)
＝(평균)×(자료의 수)

↓

(모르는 자료의 값)
＝(자료의 값을 모두 더한 수)
－(아는 자료의 값을 모두 더한 수)

[예] 다음 **3**개의 수의 평균이 **8**일 때
●에 알맞은 수 구하기

5	10	●

평균   수의 개수

(3개의 수의 합)＝**8×3＝24**

2개의 수의 합

(●에 알맞은 수)＝**24**－(5＋10)＝9

6

평균과 가능성

140

선행 문제 **⑤**

다음 3개의 수의 평균이 69일 때 ●에 알맞은 수를 구하세요.

(1)
65	70	●

[풀이] (3개의 수의 합)＝69×3＝ ☐

(●에 알맞은 수)＝ ☐ －(65＋70)

＝ ☐

(2)
68	●	75

[풀이] (3개의 수의 합)＝69×3＝ ☐

(●에 알맞은 수)＝ ☐ －(68＋75)

＝ ☐

실행 문제 **⑤**

정수네 동아리 회원의 나이를 나타낸 표입니다./
나이의 평균이 13살일 때/ 진호의 나이는 몇 살인지 구하세요.

동아리 회원의 나이

이름	정수	미희	진호	우진
나이(살)	14	10		12

[전략] (동아리 회원의 나이의 평균)×(회원 수)

❶ (동아리 회원의 나이의 합)

＝ ☐ ×4＝ ☐ (살)

[전략] (❶에서 구한 나이)－(정수, 미희, 우진이의 나이의 합)

❷ (진호의 나이)

＝ ☐ －(14＋10＋12)＝ ☐ (살)

답 _____

쌍둥이 문제 **5-1**

선미네 모둠의 몸무게를 나타낸 표입니다./
몸무게의 평균이 45 kg일 때/ 준하의 몸무게는 몇 kg인지 구하세요.

학생별 몸무게

이름	선미	준하	경주	은지
몸무게(kg)	45		50	44

실행 문제 **따라 풀기**

❶

❷

답 _____

⑥ 자료의 값을 더한 수를 구하여 평균 구하기

선행 문제 해결 전략

(예) 지수의 과녁 맞히기 점수의 평균이 **9**점일 때 **2**회 동안의 점수의 합 구하기

과녁 맞히기 점수

회	1회	2회
점수(점)	㉠	㉡

(자료의 수) ②

$(㉠+㉡)÷2=9$ ─ 평균
$㉠+㉡=9×2$
➡ (2회 동안의 점수의 합)$=9×2=18$(점)

> 평균과 자료의 수를 곱하면 자료의 값을 더한 수를 구할 수 있어.

선행 문제 ⑥

수호의 제기차기 기록의 평균이 20개일 때 3회 동안의 기록의 합은 몇 개인가요?

제기차기 기록

회	1회	2회	3회
기록(개)	㉠	㉡	㉢

풀이 $(㉠+㉡+㉢)÷\boxed{}=20$
$㉠+㉡+㉢=20×\boxed{}$
➡ (3회 동안의 기록의 합)$=20×\boxed{}$
$=\boxed{}$(개)

실행 문제 ⑥

민이네 모둠 남녀 학생들의 수학 점수의 평균을 나타낸 것입니다. /
민이네 모둠 전체 학생의 수학 점수의 평균은 몇 점인지 구하세요.

남학생 2명	82점
여학생 1명	88점

전략 (남학생의 수학 점수의 평균)×(남학생 수)

❶ (남학생의 수학 점수의 합)
$=82×\boxed{}=\boxed{}$(점)

❷ (모둠 전체 학생의 수학 점수의 합)
$=\boxed{}+88=\boxed{}$(점)

전략 (모둠 전체 학생의 수학 점수의 합)
÷(모둠 전체 학생 수)

❸ (모둠 전체 학생의 수학 점수의 평균)
$=\boxed{}÷3=\boxed{}$(점)

답 _____

쌍둥이 문제 ⑥-1

미라네 모둠 남녀 학생들의 공 던지기 기록의 평균을 나타낸 것입니다. /
미라네 모둠 전체 학생의 공 던지기 기록의 평균은 몇 m인지 구하세요.

남학생 1명	22 m
여학생 3명	18 m

실행 문제 따라 풀기

❶

❷

❸

답 _____

수학 사고력 키우기

평균을 구하여 자료의 값 비교하기

연계학습 136쪽

대표 문제 1

지민이네 모둠이 읽은 책 수를 나타낸 표입니다. /
읽은 책 수가 평균보다 많은 학생의 이름을 모두 찾아 쓰세요.

학생별 읽은 책 수

이름	지민	준호	하은	희찬	우진
읽은 책 수(권)	37	41	36	43	38

구하려는 것은? 읽은 책 수가 평균보다 많은 학생

어떻게 풀까?

1 지민이네 모둠이 읽은 책 수의 평균을 구하고
2 각 학생이 읽은 책 수와 1 에서 구한 책 수를 비교하여
읽은 책 수가 평균보다 많은 학생을 모두 찾자.

해결해 볼까?

❶ 지민이네 모둠이 읽은 책 수의 평균은 몇 권?

전략 (지민이네 모둠이 읽은 책 수의 합)÷(학생 수)

답 _____

❷ 읽은 책 수가 평균보다 많은 학생의 이름을 모두 쓰면?

전략 표를 보고 ❶에서 구한 책 수보다
많은 학생을 모두 찾자.

답 _____

6

평균과 가능성

142

쌍둥이 문제 1-1

어느 아파트 다섯 가구의 지난달 전기 사용량을 나타낸 표입니다. /
전기 사용량이 평균보다 적은 가구를 모두 찾아 쓰세요.

가구별 전기 사용량

가구	101호	102호	103호	104호	105호
사용량(킬로와트시)	220	205	230	180	215

대표 문제 따라 풀기

❶

❷

답 _____

☻ 평균을 구하여 자료의 값 예상하기

연계학습 137쪽

대표 문제 2

승기가 5일 동안 한 팔굽혀펴기 기록을 나타낸 표입니다. /
승기가 월요일부터 토요일까지 한 팔굽혀펴기 기록의 평균이 /
5일 동안 한 팔굽혀펴기 기록의 평균보다 많으려면 /
토요일의 기록은 최소 몇 회보다 많아야 하는지 구하세요.

승기의 팔굽혀펴기 기록

요일	월	화	수	목	금
기록(회)	18	24	22	19	17

☻ 어떻게 풀까?

1 5일 동안 한 팔굽혀펴기 기록의 평균을 구한 다음
2 토요일의 기록은 **1에서 구한 기록보다 많아야 함**을 이용하여 구하자.

☻ 해결해 볼까?

❶ 5일 동안 한 팔굽혀펴기 기록의 평균은 몇 회?

　[전략] (5일 동안 한 팔굽혀펴기 기록의 합)÷(날수)　　답 _____

❷ 알맞은 말에 ○표 하기

　토요일의 기록은 5일 동안 한 팔굽혀펴기 기록의 평균보다 (많아야 , 적어야) 한다.

❸ 토요일의 기록은 최소 몇 회보다 많아야 하는지 구하면?

　　　　　　　　　　　　답 _____

6

평균과 가능성

143

쌍둥이 문제 2-1

예진이가 5일 동안 돌린 훌라후프 기록을 나타낸 표입니다. /
예진이가 월요일부터 토요일까지 돌린 훌라후프 기록의 평균이 /
5일 동안 돌린 훌라후프 기록의 평균보다 많으려면 /
토요일의 기록은 최소 몇 번보다 많아야 하는지 구하세요.

예진이의 훌라후프 기록

요일	월	화	수	목	금
기록(번)	56	38	49	45	52

☻ 대표 문제 따라 풀기

❶

❷

❸

　　　　　　　　　　　　답 _____

{ 수학 사고력 키우기 }

연계학습 138쪽

🙂 일이 일어날 가능성 비교하기

대표 문제 3

1부터 6까지의 눈이 그려진 주사위를 한 번 굴렸을 때/
일이 일어날 가능성이 가장 높은 것을 찾아 기호를 쓰세요.

> ㉠ 주사위의 눈의 수가 2의 배수일 가능성
> ㉡ 주사위의 눈의 수가 6 이하일 가능성
> ㉢ 주사위의 눈의 수가 0일 가능성

😊 **구하려는 것은?**

일이 일어날 가능성이 가장 ☐ 것

😊 **어떻게 풀까?**

1 일이 일어날 가능성을 수로 표현하고
2 1에서 구한 수를 비교하여 일이 일어날 가능성이 가장 높은 것을 찾자.

😊 **해결해 볼까?**

❶ 주사위를 한 번 굴렸을 때 일이 일어날 가능성을 각각 수로 표현하면?

전략 ▶ 불가능하다 ➔ 0, 반반이다 ➔ $\frac{1}{2}$, 확실하다 ➔ 1

답 ㉠: _____ , ㉡: _____ , ㉢: _____

❷ 일이 일어날 가능성이 가장 높은 것의 기호는?

답 _____

쌍둥이 문제 3-1

1부터 6까지의 수가 쓰인 수 카드가 6장 있습니다./
이 수 카드 중에서 한 장을 뽑을 때/
일이 일어날 가능성이 가장 높은 것을 찾아 기호를 쓰세요.

> ㉠ 수 카드의 수가 8일 가능성
> ㉡ 수 카드의 수가 4의 약수일 가능성
> ㉢ 수 카드의 수가 1 이상 6 이하일 가능성

😊 **대표 문제 따라 풀기**

❶

❷

답 _____

조건에 알맞게 회전판 색칠하기

연계학습 139쪽

대표 문제 4

동전 4개가 들어 있는 주머니에서/
손에 잡히는 대로 1개 이상의 동전을 꺼냈습니다./
꺼낸 동전의 개수가 짝수일 가능성과/ 회전판을 돌릴 때 화살이
빨간색에 멈출 가능성이 같도록/ 회전판에 색칠하세요.

구하려는 것은?

꺼낸 동전의 개수가 [ ]일 가능성과 회전판을 돌릴 때 화살이 빨간색에 멈출 가능성이 같도록 회전판 색칠하기

주어진 것은?

• 주머니에 들어 있는 동전의 개수: [ ]개

• (꺼낸 동전의 개수가 짝수일 가능성)=(회전판을 돌릴 때 화살이 빨간색에 멈출 가능성)

해결해 볼까?

❶ 꺼낸 동전의 개수가 짝수일 가능성을 수로 표현하면?

전략 불가능하다 ➡ 0, 반반이다 ➡ $\frac{1}{2}$, 확실하다 ➡ 1   답 _____

❷ ❶에서 구한 가능성과 화살이 빨간색에 멈출 가능성이 같도록 위 회전판에 색칠하자.

전략 회전판의 몇 칸을 빨간색으로 색칠해야 ❶에서 구한 가능성과 같아지는지 알아보자.

쌍둥이 문제 4-1

구슬 6개가 들어 있는 상자에서/
손에 잡히는 대로 1개 이상의 구슬을 꺼냈습니다./
꺼낸 구슬의 개수가 홀수일 가능성과/ 회전판을 돌릴 때 화살이
초록색에 멈출 가능성이 같도록/ 회전판에 색칠하세요.

대표 문제 따라 풀기

❶

❷

6

평균과 가능성

145

😊 **모르는 자료의 값 구하기**

ⓒ 연계학습 140쪽

대표 문제 5

주호의 줄넘기 기록을 나타낸 표입니다./
5회까지의 줄넘기 기록의 평균이 91번일 때/
줄넘기 기록이 가장 높은 때는 몇 회인지 구하세요.

주호의 줄넘기 기록

회	1회	2회	3회	4회	5회
기록(번)	88	97	85	95	

😊 **구하려는 것은?** 줄넘기 기록이 가장 높은 때

🐻 **어떻게 풀까?** (5회의 줄넘기 기록)=(5회까지의 줄넘기 기록의 합)−(4회까지의 줄넘기 기록의 합)

→ (평균)×(횟수)   → 1회, 2회, 3회, 4회의 기록의 합

🐻 **해결해 볼까?**

❶ 5회까지의 줄넘기 기록의 합은 몇 번?

전략 (평균)×(횟수)

답 _____

❷ 5회의 줄넘기 기록은 몇 번?

전략 (❶에서 구한 기록)−(4회까지의 줄넘기 기록의 합)

답 _____

❸ 줄넘기 기록이 가장 높은 때는 몇 회?

답 _____

쌍둥이 문제 5-1

영탁이가 5일 동안 운동한 시간을 나타낸 표입니다./
5일 동안 운동한 시간의 평균이 45분일 때/ 가장 오래 운동한 요일을 구하세요.

요일별 운동한 시간

요일	월	화	수	목	금
시간(분)	40	50	35		45

😊 **대표 문제 따라 풀기**

❶

❷

❸

답 _____

자료의 값을 더한 수를 구하여 평균 구하기

ⓒ 연계학습 141쪽

대표 문제 6

경호네 반 남학생 15명의 오래 매달리기 기록의 평균은 40초이고 /
여학생 10명의 오래 매달리기 기록의 평균은 30초입니다. /
경호네 반 전체 학생의 오래 매달리기 기록의 평균은 몇 초인지 구하세요.

주어진 것은?

• 남학생 수: 15명, 남학생 기록의 평균: ☐초

• 여학생 수: ☐명, 여학생 기록의 평균: 30초

해결해 볼까?

❶ 남학생의 오래 매달리기 기록의 합은 몇 초?

전략 (남학생 기록의 평균)×(남학생 수)

답 _____

❷ 여학생의 오래 매달리기 기록의 합은 몇 초?

전략 (여학생 기록의 평균)×(여학생 수)

답 _____

❸ 경호네 반 전체 학생은 몇 명?

답 _____

❹ 경호네 반 전체 학생의 오래 매달리기 기록의 평균은 몇 초?

전략 (경호네 반 전체 학생의 기록의 합)
÷(경호네 반 전체 학생 수)

답 _____

쌍둥이 문제 6-1

효진이네 반 남학생 12명의 몸무게의 평균은 45 kg이고 /
여학생 8명의 몸무게의 평균은 40 kg입니다. /
효진이네 반 전체 학생의 몸무게의 평균은 몇 kg인지 구하세요.

대표 문제 따라 풀기

❶

❷

❸

❹

답 _____

6

평균과 가능성

{ 수학 독해력 완성하기 }

☺ 가능성을 수로 표현하기

독해 문제 1

다음 카드 중에서 한 장을 뽑을 때/ ☺ 모양 카드를 뽑을 가능성을 수로 표현하세요.

☺ 해결해 볼까?

❶ ☺ 모양 카드는 몇 장?

답 _____

❷ ☺ 모양 카드를 뽑을 가능성을 수로 표현하면?

답 _____

☺ 평균을 구하여 비교하기

독해 문제 2

규현이와 현희의 100 m 달리기 기록을 나타낸 것입니다./
100 m 달리기 기록의 평균이 더 좋은 사람은 누구인지 구하세요.

| 규현 | 18초 | 19초 | 21초 | 18초 |

| 현희 | 17초 | 24초 | 19초 |

☺ 해결해 볼까?

❶ 규현이의 100 m 달리기 기록의 평균은 몇 초?

답 _____

❷ 현희의 100 m 달리기 기록의 평균은 몇 초?

답 _____

❸ 100 m 달리기 기록의 평균이 더 좋은 사람은 누구?

전략 > 평균이 더 낮은 사람을 찾자.

답 _____

평균을 이용하여 자료의 값 구하기

독해 문제 3

진호가 4일 동안 걸은 시간을 나타낸 표입니다. /
월요일부터 금요일까지 걸은 시간의 평균이 40분 이상이 되어야 /
칭찬 도장을 받을 수 있습니다. /
칭찬 도장을 받으려면 / 금요일에는 적어도 몇 분을 걸어야 하는지 구하세요.

요일별 걸은 시간

요일	월	화	수	목
시간(분)	30	44	41	37

해결해 볼까?

❶ 칭찬 도장을 받으려면 월요일부터 금요일까지 걸어야 하는 시간은 몇 분 이상?

전략 ▷ (월요일부터 금요일까지 걸어야 하는 시간의 평균) × (날수)

답 _____ 이상

❷ 금요일에는 적어도 몇 분을 걸어야 하는지 구하면?

답 _____

새로운 회원의 나이 구하기

독해 문제 4

영화 동아리 회원의 나이를 나타낸 표입니다. /
새로운 회원이 한 명 더 들어와서 5명이 되었고 / 나이의 평균이 한 살 늘어났습니다. /
새로운 회원의 나이는 몇 살인지 구하세요.

동아리 회원의 나이

이름	인호	주영	태현	현정
나이(살)	14	11	12	15

해결해 볼까?

❶ 새로운 회원이 들어오기 전 동아리 회원의 나이의 평균은 몇 살?

답 _____

❷ 새로운 회원이 들어온 후 동아리 회원의 나이의 평균은 몇 살?

전략 ▷ (❶에서 구한 나이)+1

답 _____

❸ 새로운 회원의 나이는 몇 살?

전략 ▷ (새로운 회원이 들어온 후 나이의 합)−(새로운 회원이 들어오기 전 나이의 합)

답 _____

6

평균과 가능성

149

{ 수학 독해력 완성하기 }

☺ **평균을 구하여 자료의 값 비교하기**

ⓒ 연계학습 142쪽

독해 문제
5

진호네 학교 5학년의 학급별 학생 수를 나타낸 표입니다. /
학생 수가 가장 많은 반은/ 5학년 학급당 평균 학생 수보다/ 몇 명 더 많은지 구하세요.

학급별 학생 수

학급	1반	2반	3반	4반
학생 수(명)	20	21	13	18

☺ **구하려는 것은?** 학생 수가 가장 [   ] 반과 5학년 학급당 평균 학생 수의 차

☺ **주어진 것은?** 진호네 학교 5학년의 학급별 학생 수

☺ **어떻게 풀까?**
　❶ 학생 수가 가장 많은 반의 학생 수를 찾고
　❷ 5학년 학급당 평균 학생 수를 구한 다음
　❸ ❶에서 구한 학생 수와 ❷에서 구한 학생 수의 차를 구하자.

☺ **해결해 볼까?**

❶ 학생 수가 가장 많은 반의 학생 수는 몇 명?

　　　　답

❷ 5학년 학급당 평균 학생 수는 몇 명?
　[전략] (5학년 전체 학생 수의 합)÷(학급 수)

　　　　답 _____

❸ 학생 수가 가장 많은 반은 5학년 학급당 평균 학생 수보다 몇 명 더 많은지 구하면?
　[전략] (학생 수가 가장 많은 반의 학생 수)−(5학년 학급당 평균 학생 수)

　　　　답

자료의 값을 더한 수를 구하여 평균 구하기

G 연계학습 147쪽

독해 문제
6

준수가 월요일부터 수요일까지는 평균 1시간씩,/
목요일부터 일요일까지는 평균 1시간 35분씩 공부했습니다./
준수가 일주일 동안 하루에 공부한 시간은/ 평균 몇 시간 몇 분인지 구하세요./
(단, 준수는 매일 공부를 합니다.)

구하려는 것은? 준수가 일주일 동안 하루에 공부한 시간의 평균

주어진 것은?
- 월요일부터 수요일까지 공부한 시간의 평균 : ☐시간
- 목요일부터 일요일까지 공부한 시간의 평균 : ☐시간 ☐분

어떻게 풀까?

1 **1시간＝60분임을 이용하여**
월요일부터 수요일까지 공부한 시간의 합과 목요일부터 일요일까지 공부한 시간의 합을 각각 구하고

2 **1**에서 구한 시간의 합을 이용하여 준수가 일주일 동안 하루에 공부한 시간의 평균을 구하자.

해결해 볼까?

❶ 월요일부터 수요일까지 공부한 시간의 합은 몇 분?

전략 ▷ (월요일부터 수요일까지 공부한 시간의 평균)×(날수) 답 _____

❷ 목요일부터 일요일까지 공부한 시간의 합은 몇 분?

전략 ▷ (목요일부터 일요일까지 공부한 시간의 평균)×(날수) 답 _____

❸ 준수가 일주일 동안 하루에 공부한 시간은 평균 몇 시간 몇 분?

전략 ▷ (일주일 동안 공부한 시간의 합)÷7 답 _____

6

평균과 가능성

151

창의·융합·코딩 체험하기

창의 1 예준이와 은서가 다음과 같은 규칙으로/ 회전판 돌리기 놀이를 하고 있습니다./
공정한 놀이가 되도록/ □ 안에 알맞은 수를 써넣으세요.

화살이 동물 이름에 멈추면 1점을 얻어.

화살이 과일 이름에 멈추면 □점을 얻어.

예준

은서

코딩 2 다음과 같은 상자에/ 1 이상 10 이하인 자연수를 넣었습니다./
수에 ○표가 출력되는 일이 일어날 가능성을 말로 표현하세요.

입력	1 이상 10 이하인 자연수

↓

출력	짝수에 ○표

 답 _____

코딩 **3** 지훈, 은정, 미연이의 수학 점수의 평균을 구하는 순서도입니다./
순서도의 ☐ 안에 알맞은 수를 써넣으세요.

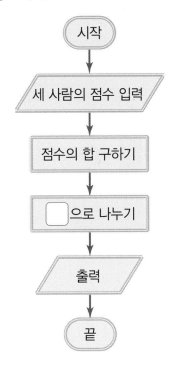

융합 **4** 어느 날 오후 남부 지방의 최저 기온입니다./
지도에 표시된 여섯 지역의 평균 기온은 몇 ℃인가요?

최저 기온

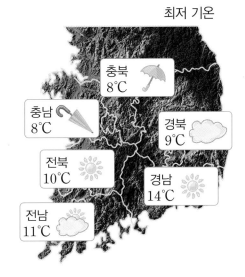

▲ ⓒAridOcean/shutterstock

답 _____

6

평균과 가능성

153

융합 5 우리 나라에서 5년 동안 황사가 발생한 횟수를 나타낸 막대그래프입니다./
황사가 5년 동안 발생한 횟수의 평균보다/ 더 많이 발생한 연도를 모두 구하세요.

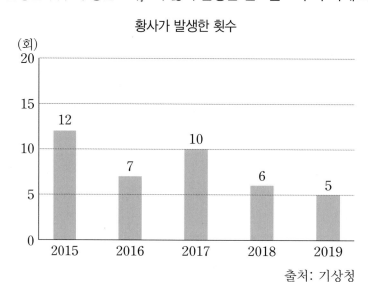

황사가 발생한 횟수

출처: 기상청

답 _____

6

평균과 가능성

154

창의 6 선주네 학교 운동장과 진훈이네 학교 운동장의 넓이와 학생 수가 다음과 같을 때/
어느 학교 학생들이 운동장을 더 넓게 사용할 수 있는지 구하세요.

선주네 학교 운동장

넓이: 3900 m²
학생 수: 650명

진훈이네 학교 운동장

넓이: 4250 m²
학생 수: 850명

 답 _____

7 로봇이 회전판을 돌릴 때 화살이 초록색에 멈출 가능성에 따라 움직입니다./
로봇이 도착한 곳을 찾아 기호를 쓰세요.

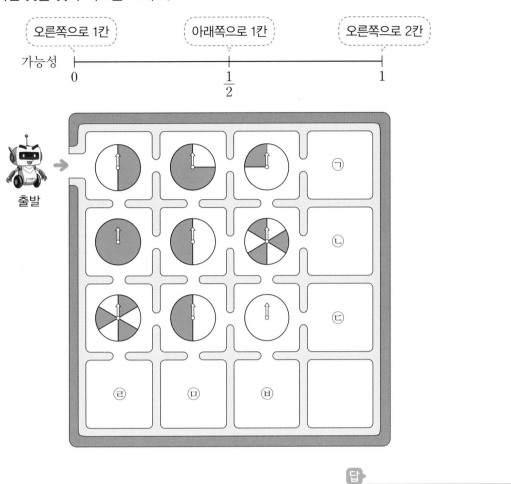

답 _____

155

6

평균과 가능성

 8 어느 서점의 월별 판매한 책의 수를 나타낸 그림그래프입니다./
4개월 동안 판매한 책의 수의 평균이 200권일 때/ 책을 가장 많이 판매한 달은 몇 월인가요?

월별 판매한 책의 수

월	책의 수
7월	
8월	
9월	
10월	

 100권

10권

답 _____

{ 실전 마무리 하기 }

평균 구하기

1 5대의 버스에 탄 학생은 모두 225명입니다. 버스 한 대에 탄 학생 수의 평균은 몇 명인가요?

💬 풀이

💬 답 _____

당첨 제비가 아닐 가능성 구하기

2 상자 안에 제비가 6개 있습니다. 그중 당첨 제비는 3개입니다. 제비를 1개 뽑을 때 뽑은 제비가 당첨 제비가 아닐 가능성을 수로 표현하세요.

💬 풀이

💬 답 _____

평균을 구하여 자료의 값 비교하기 142쪽

3 어느 박물관에 5일 동안 다녀간 방문자 수를 나타낸 표입니다. 이 박물관에서는 5일 동안 방문자 수의 평균보다 방문자 수가 많았던 요일에 안전 요원을 배정하려고 합니다. 안전 요원을 배정해야 하는 요일을 모두 찾아 쓰세요.

요일별 방문자 수

요일	월	화	수	목	금
방문자 수(명)	81	90	127	102	115

💬 풀이

💬 답 _____

평균을 구하여 자료의 값 예상하기 143쪽

4
진수가 5일 동안 접은 종이학 수를 나타낸 표입니다. 진수가 월요일부터 토요일까지 접은 종이학 수의 평균이 5일 동안 접은 종이학 수의 평균보다 많으려면 토요일에는 최소 몇 개보다 많이 접어야 하는지 구하세요.

요일별 접은 종이학 수

요일	월	화	수	목	금
종이학 수(개)	12	14	10	15	19

풀이

답 _____

일이 일어날 가능성 비교하기 144쪽

5
각 주머니에서 공을 1개 꺼낼 때 일이 일어날 가능성이 가장 높은 것을 찾아 기호를 쓰세요.

> ㉠ 빨간색 공 2개, 파란색 공 2개가 들어 있는 주머니에서 꺼낸 공이 파란색일 가능성
> ㉡ 흰색 공 4개가 들어 있는 주머니에서 꺼낸 공이 검은색일 가능성
> ㉢ 검은색 공 2개가 들어 있는 주머니에서 꺼낸 공이 검은색일 가능성

풀이

답 _____

조건에 알맞게 회전판 색칠하기 ⟲145쪽

6 바둑돌 2개가 들어 있는 주머니에서 손에 잡히는 대로 1개 이상의 바둑돌을 꺼냈습니다. 꺼낸 바둑돌의 개수가 짝수일 가능성과 회전판을 돌릴 때 화살이 노란색에 멈출 가능성이 같도록 회전판에 색칠하세요.

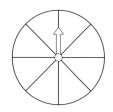

 풀이

평균을 이용하여 자료의 값 구하기 ⟲149쪽

7 어느 공장에서 4개월 동안의 자전거 생산량을 나타낸 표입니다. 1월부터 5월까지의 자전거 생산량의 평균이 200대 이상이 되어야 합니다. 5월에는 적어도 몇 대를 생산해야 하는지 구하세요.

월별 자전거 생산량

월	1월	2월	3월	4월
생산량(대)	205	172	184	213

풀이

답 _____

모르는 자료의 값 구하기 ⟲146쪽

8 미진이의 수학 점수를 나타낸 표입니다. 5회 동안의 수학 점수의 평균이 84점일 때 수학 점수가 가장 높은 때는 몇 회인지 구하세요.

수학 점수

회	1회	2회	3회	4회	5회
점수(점)	80	75		89	84

풀이

답 _____

새로운 회원의 나이 구하기 ⟲149쪽

9 농구 동아리 회원의 나이를 나타낸 표입니다. 새로운 회원이 한 명 더 들어와서 5명이 되었고 나이의 평균이 한 살 늘어났습니다. 새로운 회원의 나이는 몇 살인지 구하세요.

동아리 회원의 나이

이름	수호	지아	가인	창민
나이(살)	12	16	11	17

풀이▶

답

6

평균과 가능성

자료의 값을 더한 수를 구하여 평균 구하기 ⟲147쪽

10 수진이네 반 남학생 10명의 윗몸 말아 올리기 기록의 평균은 41회이고 여학생 6명의 윗몸 말아 올리기 기록의 평균은 33회입니다. 수진이네 반 전체 학생의 윗몸 말아 올리기 기록의 평균은 몇 회인지 구하세요.

풀이▶

답

MEMO

#난이도별
#천재되는_수학교재

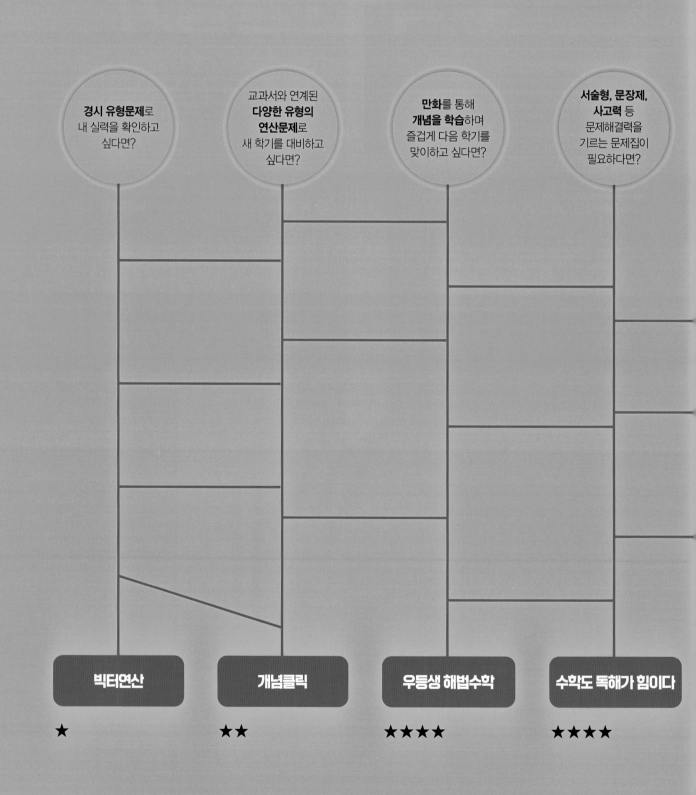

경시 유형문제로
내 실력을 확인하고
싶다면?

교과서와 연계된
**다양한 유형의
연산문제**로
새 학기를 대비하고
싶다면?

만화를 통해
개념을 학습하며
즐겁게 다음 학기를
맞이하고 싶다면?

**서술형, 문장제,
사고력** 등
문제해결력을
기르는 문제집이
필요하다면?

빅터연산

개념클릭

우등생 해법수학

수학도 독해가 힘이다

★

★★

★★★★

★★★★

정답과 풀이

수학도 독해가 힘이다

초등 수학 5-2

정답과 풀이
포인트 ③가지

▶ 혼자서도 이해할 수 있는 친절한 문제 풀이

▶ 문제 해결에 꼭 필요한 핵심 전략 제시

▶ 문제 분석과 쌍둥이 문제로 수학 독해력 완성

수학도 **독해가 힘이다** 5·2

정답과 자세한 풀이

{ CONTENTS }

빠른 정답

1 수의 범위와 어림하기

6~7쪽

선행 문제 1
(1) 올림에 ○표   (2) 올림에 ○표

실행 문제 1
❶ 올림에 ○표   ❷ 천, 4000
❸ 4000   답 4000원

쌍둥이 문제 1-1 330권

선행 문제 2
(1) 버림에 ○표   (2) 버림에 ○표

실행 문제 2
❶ 버림에 ○표   ❷ 천, 8000
❸ 8000   답 8000원

쌍둥이 문제 2-1 630개

8~9쪽

선행 문제 3
이하, ㉡

실행 문제 3
❶ 70, 80   ❷ 수아   답 수아

선행 문제 4
(1) 853 / 850
(2) 358 / 360

실행 문제 4
❶ 7631   ❷ 7600   답 7600

쌍둥이 문제 4-1 1400

10~11쪽

선행 문제 5

실행 문제 5
❶

❷ 33, 34, 35   답 33, 34, 35

쌍둥이 문제 5-1
16, 17, 18

실행 문제 6
❶ 작은에 ○표, 이하에 ○표
❷ 100, 초과에 ○표
❸ 초과, 이하
답 400 초과 500 이하

쌍둥이 문제 6-1
30 이상 40 미만

12~13쪽

대표 문제 1
❶ 올림에 ○표
❷ 130명   ❸ 13대

쌍둥이 문제 1-1 5척

대표 문제 2
❶ 버림에 ○표
❷ 5000 g   ❸ 5개

쌍둥이 문제 2-1 8개

14~15쪽

대표 문제 3
❶ 45 kg 초과 50 kg 이하
❷ 명수

쌍둥이 문제 3-1 지훈

대표 문제 4
구 세
❶ ㉠   ❷ 9.852   ❸ 9.9

쌍둥이 문제 4-1 0.47

16~17쪽

대표 문제 5
❶ 24 초과 31 이하
❷ 25, 26, 27, 28, 29, 30, 31
❸ 7개

쌍둥이 문제 5-1 5개

대표 문제 6
❶ 큰에 ○표
❷ 3000, 4000
❸ 3999명

쌍둥이 문제 6-1 701명

18~19쪽

독해 문제 1
❶ 22, 21, 20, 19, 18, 17   ❷ 16

독해 문제 2
❶ 49531   ❷ 51349
❸ 50000

독해 문제 3
❶ 57자루   ❷ 6묶음
❸ 12000원

독해 문제 4
❶ 64개   ❷ 56개   ❸ 8개

20~21쪽

독해 문제 5
❶ 100 초과 106 미만
❷ 101, 102, 103, 104, 105
❸ 5개

독해 문제 6
주 450, 450
❶ 445, 455   ❷ 440, 450
❸ 445 이상 450 이하   ❹ 6개

22~23쪽

융합 ① 3, 7

창의 ②

코딩 ③ 7.1

융합 ④ (위부터) 시, 라, 솔, 솔

24~25쪽

융합 ⑤ 2등급   융합 ⑥ 하민

융합 ⑦ 169000원

융합 ⑧ 25000원

26~27쪽

1 8대   **2** 64개
3 88000   **4** 우진
5 9.87

28~29쪽

6 29   **7** 7개
8 1001개   **9** 9000원
10 9개

---

2 분수의 곱셈

32~33쪽

선행 문제 **1**

① 1 ② 1, $\frac{2}{3}$ / 1, $\frac{2}{3}$

실행 문제 **1**

❶ 4 ❷ $\frac{3}{4}$ / 4, $\frac{3}{4}$, $\frac{3}{7}$

답 $\frac{3}{7}$

쌍둥이 문제 **1-1** $\frac{2}{15}$

선행 문제 **2**

① $\frac{1}{4}$ ② 1, 3 ③ 3, $\frac{3}{5}$ / 3, $\frac{3}{5}$

실행 문제 **2**

❶ 3, 5 ❷ $\frac{2}{5}$ / 5, $\frac{2}{5}$, $\frac{1}{4}$

답 $\frac{1}{4}$

쌍둥이 문제 **2-1** $\frac{3}{7}$

34~35쪽

선행 문제 **3**

① 2 ② 2, 15, 2, 6

실행 문제 **3**

❶ $\frac{3}{4}$ ❷ 7$\frac{1}{9}$, $\frac{3}{4}$, 5$\frac{1}{3}$

답 5$\frac{1}{3}$ m²

쌍둥이 문제 **3-1** $\frac{4}{7}$ m²

선행 문제 **4**

작게에 ○표, 크게에 ○표,
$\frac{1}{6} \times \frac{2}{8}$ (또는 $\frac{1}{8} \times \frac{2}{6}$)

실행 문제 **4**

❶ 3, 5 / 6, 7

❷ $\frac{3}{\overset{1}{6}} \times \frac{5}{7} = \frac{5}{14}$ (또는 $\frac{3}{\overset{1}{7}} \times \frac{5}{\underset{2}{6}} = \frac{5}{14}$)

답 $\frac{5}{14}$

쌍둥이 문제 **4-1** $\frac{8}{63}$

36~37쪽

선행 문제 **5**

(1) 35, 7 (2) 25, 5 (3) 10, 1

실행 문제 **5**

❶ 45, 3 ❷ 3, 10

답 10 km

쌍둥이 문제 **5-1** 3$\frac{3}{7}$ km

선행 문제 **6**

(1) < / 1, 2 (2) < / 1, 2, 3

실행 문제 **6**

❶ (위부터) 1, 5 ❷ 5, <

❸ 2, 3, 4 / 3

답 3개

쌍둥이 문제 **6-1** 4개

38~39쪽

대표 문제 **1**

❶ $\frac{2}{3} \times \frac{1}{4}$ ❷ 1시간

쌍둥이 문제 **1-1**

15장

대표 문제 **2**

❶ $\frac{1}{6}$ ❷ $\frac{1}{6} \times \frac{4}{5}$

❸ 20쪽

쌍둥이 문제 **2-1**

50 cm

40~41쪽

대표 문제 **3**

❶ 44$\frac{1}{3}$ cm² ❷ $\frac{5}{6}$

❸ 36$\frac{17}{18}$ cm²

쌍둥이 문제 **3-1**

4$\frac{4}{7}$ m²

대표 문제 **4**

❶ 1, 2, 3 ❷ 9, 8, 5 ❸ $\frac{1}{60}$

쌍둥이 문제 **4-1**

$\frac{5}{84}$

42~43쪽

대표 문제 5

❶ $82\dfrac{1}{2}$ km ❷ $1\dfrac{1}{5}$ 시간

❸ 99 km

쌍둥이 문제 5-1 $28\dfrac{1}{2}$ L

대표 문제 6

❶ $\dfrac{1}{\blacksquare \times 4}$ ❷ $\blacksquare \times 4$

❸ 3, 4, 5, 6, 7

쌍둥이 문제 6-1 6, 7

44~45쪽

독해 문제 1

❶ 1000 mL ❷ 250 mL, 200 mL

❸ 450 mL

독해 문제 2

❶ 예 ❷ 예

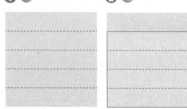

독해 문제 3

❶ $5\dfrac{1}{4}$, $1\dfrac{4}{5}$ ❷ $9\dfrac{9}{20}$

독해 문제 4

❶ $\square + 3\dfrac{1}{2} = 5\dfrac{3}{4}$

❷ $2\dfrac{1}{4}$ ❸ $7\dfrac{7}{8}$

46~47쪽

독해 문제 5

구 6

❶ $1\dfrac{5}{6}$ 분 ❷ 11분

❸ 오전 9시 11분

독해 문제 6

❶ $\dfrac{1}{3}$ ❷ $\dfrac{2}{15}$ ❸ $\dfrac{4}{5}$ ❹ 84곡

48~49쪽

융합 1 (1) $1\dfrac{1}{2}$박 (2) $\dfrac{3}{4}$박

코딩 2 $1\dfrac{11}{25}$ **창의 3** 450 cm²

창의 4 75 cm² /

예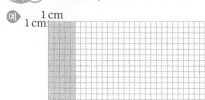

창의 5 125 cm² /

예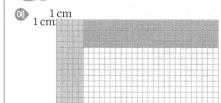

50~51쪽

코딩 6 ( )(○) **코딩 7** $5\dfrac{19}{25}$ m²

창의 8 (1) $1\dfrac{3}{4}$ cm² (2) $1\dfrac{5}{16}$ cm²

창의 9 $\dfrac{50}{63}$ km

52~53쪽

1 $5\dfrac{3}{5}$ km 2 3개 3 56개

4 45 5 $13\dfrac{1}{3}$ m²

54~55쪽

6 $\dfrac{20}{189}$ 7 $26\dfrac{1}{8}$ L

8 3, 4, 5 9 $4\dfrac{2}{3}$

10 오전 9시 42분

3 합동과 대칭

58~59쪽

선행 문제 1

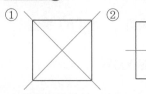

실행 문제 1

❶  ❷ 2

답 2개

쌍둥이 문제 1-1

4개

선행 문제 2

70, 110 / 90, 90

실행 문제 2

❶ 90 ❷ 2, 25

❸ 65 답 65°

쌍둥이 문제 2-1

50°

60~61쪽

선행 문제 3

5, 12 / 12, 24

실행 문제 3

❶ 4 ❷ 4, 18

❸ 18, 36 답 36 cm

쌍둥이 문제 3-1

56 cm

선행 문제 4

①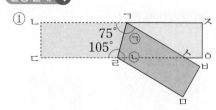

② ㄴㄱㄹ(또는 ㄹㄱㄴ), 75 /
ㄱㄹㄷ(또는 ㄷㄹㄱ), 105

실행 문제 4

❶ ㄱㅅㅇㅈ ❷ 65

❸ 50 답 50°

쌍둥이 문제 4-1

40°

62～63쪽

선행 문제 5

① 2, 8 ② 2, 14 ③ 2, 16

실행 문제 5

❶ 3, 8 ❷ 8, 16

답 16 cm

쌍둥이 문제 5-1

22 cm

실행 문제 6

❶ ㅁㄹㄷ ❷ 3

❸ 3, 8 답 8 cm

쌍둥이 문제 6-1

25 cm

64～65쪽

대표 문제 1

❶ 4개, 3개 ❷ 1개

쌍둥이 문제 1-1 1개

대표 문제 2

❶ 80° ❷ 60° ❸ 120°

쌍둥이 문제 2-1 100°

66～67쪽

대표 문제 3

❶ 33 cm ❷ 4, 8 ❸ 12 cm

쌍둥이 문제 3-1 7 cm

대표 문제 4

주 35, 90, ㄱㅂㄹ

❶ 55° ❷ 55° ❸ 70°

쌍둥이 문제 4-1 50°

68～69쪽

대표 문제 5

주 6, 7, 14

❶ 12 cm ❷ 7 cm ❸ 19 cm

쌍둥이 문제 5-1 35 cm

대표 문제 6

주 6, 10, 8

❶ ㅁㄹㅂ ❷ 8 cm

❸ 16 cm ❹ 128 cm²

쌍둥이 문제 6-1 256 cm²

70～71쪽

독해 문제 1

❶ ㉠, ㉡, ㉢, ㉤

❷ ㉡, ㉢, ㉣ ❸ ㉡, ㉢

독해 문제 2

❶ 50, 125 ❷ 45°

독해 문제 3

❶ 8 cm ❷ 16 cm ❸ 64 cm²

독해 문제 4

❶ 65° ❷ 65° ❸ 140°

72～73쪽

독해 문제 5

주 12, 112

❶ 56 cm ❷ 8 cm

❸ 20 cm ❹ 40 cm

독해 문제 6

주 5, 12, 216

❶ ㅁㄹㄷ ❷ 12, 5

❸ 18 cm ❹ 13 cm

74～75쪽

융합 ❶ 나 융합 ❷ ㄴ

융합 ❸ ㅈ

창의 ❹

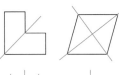

창의 ❺ (1) 8228, 2882 (2) 8228

76～77쪽

코딩 ❻ (●, ●, ●, ⊙)

코딩 ❼ (●, ⊙, ●, ●)

코딩 ❽ (●, ⊙, ●, ●)

코딩 ❾ ((●, ●, ●, ●)

코딩 ❿

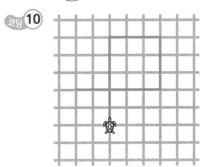

코딩 ⓫

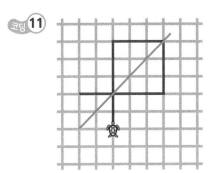

78～79쪽

1 2개   **2** 60°
3 12 cm   **4** 50°
5 13 cm   **6** 50°

80～81쪽

7 30 cm²   **8** 288 cm²
9 164°   **10** 40 cm

4 소수의 곱셈

84~85쪽

선행 문제 1

(1) 8, 8 (2) 6, 7, 6

실행 문제 1

❶ 5.04 ❷ 5.04 ❸ 5

답 5

쌍둥이 문제 1-1

10

선행 문제 2

(1) 42, 7, 0.7

(2) 45, 3, 75, 1.75

실행 문제 2

❶ 30, 5, 1.5 ❷ 1.5, 7.5

답 7.5시간

쌍둥이 문제 2-1 7.2시간

86~87쪽

선행 문제 3

(1) 5, 1.3 (2) 0.6, 0.9

실행 문제 3

❶ 22, 0.15

❷ 0.15, 22, 3.3 / 3.3

❸ 3.3, 72.6

답 72.6

쌍둥이 문제 3-1

40.5

선행 문제 4

(1) 6, 4, 24 (2) 6, 5, 30

실행 문제 4

❶ 7, 1.4, 9.8 ❷ 9.8, 49

답 49 m²

쌍둥이 문제 4-1 28.8 m²

88~89쪽

실행 문제 5

❶ 7, 5 (또는 5, 7)

❷ 7.1×5.3=37.63

(또는 5.3×7.1=37.63)

답 37.63

선행 문제 6

3 / 3, 2 / 2, 6

실행 문제 6

❶ 8.6, 25.8 ❷ 1.6

❸ 25.8, 1.6, 24.2

답 24.2 cm

쌍둥이 문제 6-1 25.9 cm

90~91쪽

대표 문제 1

❶ 5.46 ❷ 5.46 ❸ 2개

쌍둥이 문제 1-1 2개

대표 문제 2

구 2, 15

주 9 / 2, 15

❶ 2.25시간 ❷ 20.25 km

쌍둥이 문제 2-1 148.8 km

92~93쪽

대표 문제 3

❶ □+2.5=9.1

❷ 6.6 ❸ 16.5

쌍둥이 문제 3-1 16.71

대표 문제 4

주 5.8, 3.6

❶ 8.7 m ❷ 5.4 m

❸ 46.98 m²

쌍둥이 문제 4-1 8.82 m²

94~95쪽

대표 문제 5

❶ 8, 6, 5, 3 ❷ 8, 6

❸ 8.3×6.5=53.95

(또는 6.5×8.3=53.95)

쌍둥이 문제 5-1

1.4×2.7=3.78

(또는 2.7×1.4=3.78)

대표 문제 6

주 0.15, 30, 0.06

❶ 4.5 m ❷ 1.74 m ❸ 2.76 m

쌍둥이 문제 6-1

88.6 cm

96~97쪽

독해 문제 1

❶ 0.348 L ❷ 0.928 L

독해 문제 2

❶ 87.75 cm² ❷ 526.5 cm²

독해 문제 3

❶ 25 cm ❷ 13.2 cm

❸ 155.76 cm²

독해 문제 4

❶ 2.8 m ❷ 1.96 m

98~99쪽

독해 문제 5

구 5

주 3, 12 / 5

❶ 3.2분 ❷ 4번 ❸ 12.8분

독해 문제 6

구 한

주 10, 0.08, 4.78

❶ 0.72 m ❷ 5.5 m ❸ 0.55 m

100~101쪽

창의 ❶ 81.28 cm

융합 ❷ 5427

융합 ❸ 27.04 cm²

코딩 ❹ 0.391

102~103쪽

코딩 **5** (1) ×
(2) ○

융합 **6** 10개

융합 **7** 96 cm

코딩 **8** 0.041

104~105쪽

1 10.8 m **2** 5.7 km
3 1.35 L **4** 2개
5 80.3 cm² **6** 481 km

106~107쪽

7 6.79 **8** 194.4 m²
9 9.3×7.5=69.75
(또는 7.5×9.3=69.75)
10 84.7 m

5 직육면체

110~111쪽

선행 문제 **1**
(1) (왼쪽부터) 7, 8, 4
(2) (왼쪽부터) 3, 6, 5

실행 문제 **1**
❶ 6, 3 ❷ 6, 3, 60
답 60 cm

쌍둥이 문제 **1-1**
51 cm

선행 문제 **2**
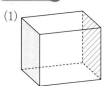
(1)

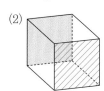
(2)

실행 문제 **2**
❶
9 cm
9 cm
6 cm

❷ 9 ❸ 9, 36
답 36 cm

초간단 풀이
❶ 같다에 ○표
❷ 9 ❸ 9, 36
답 36 cm

112~113쪽

선행 문제 **3**
(1) ㅈ, ㅇ (2) ㅈㅇ

실행 문제 **3**
❶ ㅋ, ㅌ ❷ 5
답 5 cm

쌍둥이 문제 **3-1** 4 cm

선행 문제 **4**
(1) 14 (2) 2, 4

실행 문제 **4**
❶ 14 ❷ 14, 98
답 98 cm

쌍둥이 문제 **4-1**
126 cm

114~115쪽

선행 문제 **5**
(1) 4 / 4, 36 (2) 12 / 12, 24

실행 문제 **5**
❶ 12 ❷ 12, 7
답 7 cm

쌍둥이 문제 **5-1** 6 cm

실행 문제 **6**
❶ 2, 4 ❷ 2, 4, 58
답 58 cm

쌍둥이 문제 **6-1** 38 cm

116~117쪽

대표 문제 **1**
구 모서리
주 9

❶
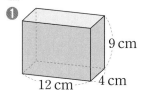
9 cm
12 cm 4 cm

❷ 12 cm, 4 cm, 9 cm ❸ 25 cm

쌍둥이 문제 **1-1**
22 cm

대표 문제 **2**
구 평행
❶ 면 ㅁㅂㅅㅇ
❷ 4 cm, 9 cm, 4 cm, 9 cm
❸ 26 cm

쌍둥이 문제 **2-1**
40 cm

118~119쪽

대표 문제 **3**
주 9, 5
❶ 선분 ㅅㅂ, 9 cm
❷ 선분 ㅂㅁ, 5 cm ❸ 14 cm

쌍둥이 문제 **3-1**
18 cm

대표 문제 **4**
❶ 4, 2, 8 ❷ 74 cm

쌍둥이 문제 **4-1**
60 cm

120~121쪽

대표 문제 **5**
❶ 4, 4, 4 ❷ 56 cm ❸ 10

쌍둥이 문제 **5-1**
3

대표 문제 6

주 6, 10

❶ 2, 2, 4　❷ 50 cm　❸ 60 cm

쌍둥이 문제 6-1

105 cm

122 ~ 123쪽

독해 문제 1

❶ (위부터) ㅇ / ㄴ, ㅂ

❷
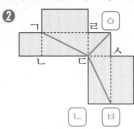

독해 문제 2

❶ 4, 2, 6　❷ 3, 5, 1

독해 문제 3

❶
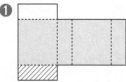

❷ 22 cm, 9 cm　❸ 62 cm

독해 문제 4

❶ 4 cm, 9 cm, 6 cm

❷ 76 cm

124 ~ 125쪽

독해 문제 5

주 40, 6

❶ 면 ㅁㅂㅅㅇ　❷ 3개

❸ 2, 4　❹ 104 cm

독해 문제 6

주 (위부터) 12, 17

❶ 12 cm　❷ 5 cm

❸ 5 cm　❹ 9 cm

126 ~ 127쪽

융합 ❶ 빨간색, 흰색, 주황색, 노란색

코딩 ❷
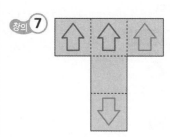

융합 ❸ (왼쪽부터) 3, 1, 4

융합 ❹ (왼쪽부터) 5, 1, 2, 6

128 ~ 129쪽

융합 ❺ 34 cm

창의 ❻ 4

창의 ❼
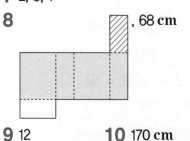

창의 ❽ ▲

창의 ❾ ■

130 ~ 131쪽

1 3쌍　　　2 선분 ㅈㅇ

3 18 cm　　4 40 cm

5 13 cm　　6 78 cm

132 ~ 133쪽

7 2, 3, 1

8 , 68 cm

9 12　　　10 170 cm

6 평균과 가능성

136 ~ 137쪽

선행 문제 1

108, 36 / 45 / 28, 35

실행 문제 1

❶ 89, 356, 89　❷ 국어

답 국어

쌍둥이 문제 1-1　수요일

선행 문제 2

3 / 3, 50 / 50

실행 문제 2

❶ 4, 49

❷ 많아야에 ○표, 49

답 49쪽

138 ~ 139쪽

선행 문제 3

(1) $\frac{1}{2}$　(2) 1

실행 문제 3

❶ 3, 5 / $\frac{1}{2}$에 ○표 / 0에 ○표

❷ ㉠

답 ㉠

쌍둥이 문제 3-1　㉡

선행 문제 4

(1) 예

(2) 예

실행 문제 4

❶ 빨간색　❷ 노란색

❸ 파란색

답 파란색

쌍둥이 문제 4-1　초록색

140~141쪽

선행 문제 5
(1) 207 / 207, 72
(2) 207 / 207, 64

실행 문제 5
❶ 13, 52 ❷ 52, 16
답 16살

쌍둥이 문제 5-1 41 kg

선행 문제 6
3, 3 / 3, 60

실행 문제 6
❶ 2, 164 ❷ 164, 252
❸ 252, 84
답 84점

쌍둥이 문제 6-1 19 m

142~143쪽

대표 문제 1
❶ 39권 ❷ 준호, 희찬

쌍둥이 문제 1-1 102호, 104호

대표 문제 2
❶ 20회 ❷ 많아야에 ○표
❸ 20회

쌍둥이 문제 2-1 48번

144~145쪽

대표 문제 3
구 높은
❶ $\frac{1}{2}$, 1, 0 ❷ ㉠

쌍둥이 문제 3-1 ㉢

대표 문제 4
구 짝수
주 4
❶ $\frac{1}{2}$
❷ 예

쌍둥이 문제 4-1
예

146~147쪽

대표 문제 5
❶ 455번 ❷ 90번 ❸ 2회

쌍둥이 문제 5-1
목요일

대표 문제 6
주 40, 10
❶ 600초 ❷ 300초
❸ 25명 ❹ 36초

쌍둥이 문제 6-1
43 kg

148~149쪽

독해 문제 1
❶ 4장
❷ $\frac{1}{2}$

독해 문제 2
❶ 19초 ❷ 20초 ❸ 규현

독해 문제 3
❶ 200분 ❷ 48분

독해 문제 4
❶ 13살 ❷ 14살 ❸ 18살

150~151쪽

독해 문제 5
구 많은
❶ 21명 ❷ 18명 ❸ 3명

독해 문제 6
주 1 / 1, 35
❶ 180분 ❷ 380분 ❸ 1시간 20분

152~153쪽

창의 **1** 1
코딩 **2** 반반이다
코딩 **3** 3
융합 **4** 10 ℃

154~155쪽

융합 **5** 2015년, 2017년
창의 **6** 선주네 학교
코딩 **7** ㉢
창의 **8** 9월

156~157쪽

1 45명   2 $\frac{1}{2}$
3 수요일, 금요일 4 14개
5 ㉢

158~159쪽

6 예

7 226대   8 3회
9 19살   10 38회

정답과 자세한 **풀이**

1 수의 범위와 어림하기

FUN한 이야기 ⟨4~5쪽⟩

7, 2, 8

1STEP 문제 해결력 기르기 ⟨6~11쪽⟩

6쪽

선행 문제 1

(1) **올림**에 ○표

(2) **올림**에 ○표

실행 문제 1

❶ 올림에 ○표

❷ 천, 4000

❸ 4000

답 4000원

쌍둥이 문제 1-1

❶ 모자라지 않게 사야 하므로 올림한다.

❷ 10권씩 묶음으로 사야 하므로

327을 올림하여 십의 자리까지 나타내면

327 ➡ 330

❸ 최소 330권을 사야 한다.

답 330권

7쪽

선행 문제 2

(1) **버림**에 ○표

(2) **버림**에 ○표

실행 문제 2

❶ 버림에 ○표

❷ 천, 8000

❸ 8000

답 8000원

쌍둥이 문제 2-1

❶ 10개가 안 되는 사과는 담아 팔 수 없으므로 버림한다.

❷ 10개씩 담아야 하므로

632를 버림하여 십의 자리까지 나타내면

632 ➡ 630

❸ 최대 630개까지 팔 수 있다.

답 630개

8쪽

선행 문제 3

이하, ㉡

실행 문제 3

❶ 70, 80

❷ 수아

답 수아

9쪽

선행 문제 4

(1) 853 / 850

(2) 358 / 360

실행 문제 4

❶ 7631

❷ 7600

답 7600

쌍둥이 문제 4-1

❶ 가장 작은 네 자리 수: 1367

❷ 전략 위 ❶에서 만든 수의 십의 자리 숫자에 따라 버리거나 올린 수를 구하자.

반올림하여 백의 자리까지 나타내기: 1400

답 1400

10쪽

선행 문제 5

11 13

실행 문제 5

❶

32   36

❷ 33, 34, 35

답 33, 34, 35

쌍둥이 문제 5-1

❶ 전략 두 수의 범위의 시작 부분 중 더 큰 수를, 끝 부분 중 더 작은 수를 찾자.

두 수의 범위에 공통인 범위를 수직선에 나타내기

16   18

❷ 전략 위 ❶의 범위에 속하는 자연수를 모두 구하자.

공통으로 속하는 자연수: 16, 17, 18

답 16, 17, 18

11쪽

실행 문제 6

❶ 작은에 ◯표, 이하에 ◯표

❷ 100, 초과에 ◯표

❸ 초과, 이하   답 **400 초과 500 이하**

> 주의
> 500은 올림하여 백의 자리까지 나타내면 5000이고,
> 400은 올림하여 백의 자리까지 나타내면 4000이므로
> 올림하여 백의 자리까지 나타낸 수가 5000이 되는 수의
> 범위는 400 초과 500 이하이다.

쌍둥이 문제 6-1

❶ 버림하여 30이 되었으므로 30과 같거나 큰 수이다.
   ➡ 30 이상

❷ 십의 자리까지 나타냈으므로
   30에 10을 더한 40보다 작은 수이다.
   ➡ 40 미만

❸ 전략 위 ❶과 ❷의 공통 범위를 구하자.
   수의 범위: 30 이상 40 미만

               답 **30 이상 40 미만**

> 주의
> 30은 버림하여 십의 자리까지 나타내면 300이고,
> 40은 버림하여 십의 자리까지 나타내면 400이므로
> 버림하여 십의 자리까지 나타낸 수가 300이 되는 수의
> 범위는 30 이상 40 미만이다.

STEP 2 수학 사고력 키우기   12~17쪽

12쪽

대표 문제 1

해 ❶ 승합차에 남는 사람 없이 모두 타야 하므로 올림
   한다.   답 **올림에 ◯표**

❷ 정원이 10명이므로 127을 올림하여 십의 자리
   까지 나타내면
   127 ➡ 130   답 **130명**

❸ 승합차 한 대에 탈 수 있는 정원은 10명이다.
   ➡ 130÷10=13(대)   답 **13대**

> 참고
> 승합차가 최소로 필요하므로 127명 중 120명은 10명씩 타
> 야 한다고 생각한다. 따라서 정원을 채워 타야 할 승합차
> 는 12대이므로 10명씩 탄 승합차 12대와 남은 사람 7명을
> 태울 승합차 1대가 더 필요하여 최소 13대가 필요하다.

쌍둥이 문제 1-1

구 421명이 모두 탈 수 있는 최소 배의 수

주 배를 탈 사람 수: 421명,
   배 한 척의 정원: 100명

❶ 남는 사람 없이 모두 타야 하므로 올림한다.

❷ 전략 정원이 100명이므로 어림하여 백의 자리까지 나타내자.
   100명씩 타야 하므로 421을 올림하여 백의 자리까
   지 나타내면
   421 ➡ 500

❸ 전략 위 ❷에서 구한 수로 배마다 정원을 채워 탔을 때의 배
   의 수를 구하자.
   필요한 최소 배의 수: 5척   답 **5척**

13쪽

대표 문제 2

해 ❶ 답 **버림에 ◯표**

❷ 식빵 한 개에 밀가루 1000 g이 필요하므로 5900
   을 버림하여 천의 자리까지 나타내면
   5900 ➡ 5000   답 **5000 g**

❸ 식빵 한 개를 만드는 데 밀가루 1000 g이 필요하
   다. ➡ 5000÷1000=5(개)   답 **5개**

> 참고
> 남아 있는 밀가루가 5900 g이므로 1000 g씩 사용하여
> 식빵 5개를 만들 수 있다. 이때, 밀가루를 1000 g씩 사
> 용하여 식빵 5개를 만들고, 남은 900 g으로는 식빵을
> 만들 수 없으므로 최대 5개까지 만들 수 있다.

쌍둥이 문제 2-1

어 1 100 cm가 안 되는 길이로는 포장할 수 없을 때
   의 어림 방법으로 리본의 길이를 구하고,

  2 위 1에서 구한 리본의 길이로 포장할 수 있는
   최대 상자의 수를 구하자.

❶ 100 cm가 안 되면 포장할 수 없으므로 버림한다.

❷ 100 cm씩 필요하므로 899를 버림하여 백의 자리까
   지 나타내면
   899 ➡ 800

❸ 전략 위 ❷에서 구한 수로 포장할 수 있는 최대 상자 수를
   구하자.
   포장할 수 있는 최대 상자 수: 8개   답 **8개**

> 주의
> 리본을 100 cm씩 사용하여 상자 8개를 포장하고, 남은
> 99 cm로는 포장할 수 없으므로 최대 8개까지 포장할
> 수 있다.

14쪽

대표 문제 3

해 ❶ 답 45 kg 초과 50 kg 이하

❷ 몸무게가 45 kg 초과 50 kg 이하인 범위에 속하는 학생은 몸무게가 50 kg인 명수이다.

답 명수

쌍둥이 문제 3-1

❶ 전략 52 kg이 포함되는 범위를 쓰자.

보윤이의 몸무게가 속한 범위:

50 kg 초과 55 kg 이하

❷ 보윤이와 같은 체급에 속하는 학생: 지훈

답 지훈

15쪽

대표 문제 4

구 세

해 ❶ 답 ㉠

❷ 9>8>5>2이므로 만들 수 있는 가장 큰 소수 세 자리 수는 9.852이다.　답 9.852

❸ 9.852의 소수 둘째 자리 숫자가 5이므로 올려서 나타낸다.

9.85̲2 ➔ 9.9　답 9.9

쌍둥이 문제 4-1

어 ❶ 자연수 부분부터 작은 수를 차례로 놓아 가장 작은 소수 세 자리 수를 만들고,

❷ 위 ❶에서 만든 수의 소수 셋째 자리 숫자에 따라 버리거나 올려서 소수 둘째 자리까지 나타내자.

❶ 소수 세 자리 수: □.□□□

❷ 만들 수 있는 가장 작은 소수 세 자리 수: 0.467

❸ 전략 위 ❷에서 만든 수의 소수 셋째 자리 숫자에 따라 버리거나 올려서 나타내자.

반올림하여 소수 둘째 자리까지 나타내기:

0.46̲7 ➔ 0.47　답 0.47

참고 ❷ 0<4<6<7이므로 가장 작은 소수 세 자리 수는 0.467이다.

❸ 0.467의 소수 셋째 자리 숫자가 7이므로 올려서 나타낸다.

16쪽

대표 문제 5

해 ❶ 두 수의 범위의 시작 부분을 비교하면 24>19이므로 공통인 범위의 시작은 '24 초과'이고, 두 수의 범위의 끝 부분을 비교하면 34>31이므로 공통인 범위의 끝은 '31 이하'이다.

답 24 초과 31 이하

❷ 답 25, 26, 27, 28, 29, 30, 31

❸ 답 7개

쌍둥이 문제 5-1

구 두 수의 범위에 공통으로 속하는 자연수의 개수

어 ❶ 두 수의 범위의 시작 부분 중 더 큰 수를, 끝 부분 중 더 작은 수를 찾아 공통인 범위를 구하고,

8 이상　19 미만 인 수
13 초과　23 이하 인 수
　↓　　↓
더 큰 수 더 작은 수

❷ 위 ❶에서 구한 범위에 속하는 자연수를 모두 구해 그 개수를 세자.

❶ 전략 두 수의 범위의 시작 부분 중 더 큰 수를, 끝 부분 중 더 작은 수를 찾자.

두 수의 범위에 공통인 범위: 13 초과 19 미만

❷ 전략 ▲ 초과인 수에는 ▲가 포함되지 않고, ■ 미만인 수에는 ■가 포함되지 않는다.

위 ❶에서 구한 범위에 속하는 자연수:

14, 15, 16, 17, 18

❸ 전략 위 ❷에서 구한 수의 개수를 세자.

두 수의 범위에 공통으로 속하는 자연수는 모두 5개

답 5개

17쪽

대표 문제 6

해 ❶ 답 큰에 ○표

❷ 버림하여 천의 자리까지 나타내면 3000이 되는 수의 범위

➔ 3000 이상 (3000+1000) 미만

➔ 3000 이상 4000 미만

답 3000, 4000

❸ 위 ❷에서 구한 범위에 포함되는 가장 큰 자연수 3999명이 최대 입장객 수이다.

답 3999명

쌍둥이 문제 6-1

구 식물원의 최소 입장객 수

어 ❶ 올림하여 백의 자리까지 나타낸 수가 800이 되는 수의 범위를 구한 후,

❷ 위 ❶에서 구한 범위에서 가장 작은 자연수를 찾아 최소 입장객 수를 구하자.

❶ 올림하였으므로 수의 범위는 800과 같거나 작은 수

❷ 전략 올림하여 백의 자리까지 나타내면 ■가 되는 수의 범위: (■-100) 초과 ■ 이하

입장객 수의 범위: 700명 초과 800명 이하

참고 올림하여 백의 자리까지 나타낸 수가 800이 되는 수의 범위
➡ (800-100) 초과 800 이하
➡ 700 초과 800 이하

❸ 전략 위 ❷에서 구한 범위에 포함되는 가장 작은 자연수를 구하자.

최소 입장객 수: 701명

답 701명

3 STEP 수학 독해력 완성하기 18~21쪽

18쪽

독해 문제 1

어 ❶ 수직선에 나타낸 수의 범위에 속하는 자연수 6개를 구하고,

❷ 위 ❶에서 구한 수 중 가장 작은 수까지 포함될 수 있는 ㉠을 구하자.

해 ❶ 수직선에 나타낸 수의 범위가 ㉠ 초과 22 이하이므로 수의 범위에 속하는 자연수 6개를 큰 수부터 차례로 쓰면 22, 21, 20, 19, 18, 17이다.

답 22, 21, 20, 19, 18, 17

❷ 수의 범위에 17까지 속해야 하고 ㉠은 속하지 않으므로 ㉠은 17보다 1만큼 더 작은 자연수 16이어야 한다.

답 16

주의 ㉠은 수직선에 나타낸 수의 범위에 포함되지 않는 수이므로 ❶에서 구한 가장 작은 자연수인 17보다 더 작은 수인 16이다.

독해 문제 1-1 정답에서 제공하는 **쌍둥이 문제**

수직선에 나타낸 수의 범위에 속하는 자연수가 5개일 때, /
㉠에 알맞은 자연수를 구하세요.

어 ❶ 수직선에 나타낸 수의 범위에 속하는 자연수 5개를 구하고,

❷ 위 ❶에서 구한 수 중 가장 큰 수까지 포함될 수 있는 ㉠을 구하자.

해 ❶ 수직선에 나타낸 수의 범위에 속하는 자연수 5개를 작은 수부터 쓰기:
15, 16, 17, 18, 19

❷ ㉠에 알맞은 자연수: 20

답 20

독해 문제 2

구 수 카드로 50000에 가장 가깝게 만든 수를 반올림하여 천의 자리까지 나타내기

주 수 카드: 4 , 9 , 3 , 1 , 5

어 ❶ 50000보다 작거나 큰 수 중 50000에 가장 가까운 수를 구하고,

❷ 위 ❶에서 구한 수를 반올림하여 천의 자리까지 나타내자.

해 ❶ 전략 만의 자리에 수 카드 4를 놓자.
50000보다 작으면서 50000에 가장 가까운 수를 만들면 49531이다.

답 49531

❷ 전략 만의 자리에 수 카드 5를 놓자.
50000보다 크면서 50000에 가장 가까운 수를 만들면 51349이다.

답 51349

❸ 49531과 51349 중 50000에 더 가까운 수는 49531이므로 49531을 반올림하여 천의 자리까지 나타내면 50000이다.

답 50000

주의 수 카드로 50000에 가까운 수를 만들 때에는 50000보다 작은 수와 50000보다 큰 수를 모두 생각해야 한다.

독해 문제 2-1 　　　　　정답에서 제공하는 **쌍둥이 문제**

수 카드 5장을 한 번씩만 사용하여/ 30000에 가장 가까운 다섯 자리 수를 만들었습니다./
만든 수를/ 반올림하여 천의 자리까지 나타내세요.

| 1 | , | 3 | , | 2 | , | 8 | , | 5 |

구 수 카드로 30000에 가장 가깝게 만든 수를 반올림하여 천의 자리까지 나타내기

어 **1** 30000보다 작거나 큰 수 중 30000에 가장 가까운 수를 구하고,

2 위 **1**에서 구한 수를 반올림하여 천의 자리까지 나타내자.

해 **1** 30000보다 작고 30000에 가장 가까운 수: 28531

2 30000보다 크고 30000에 가장 가까운 수: 31258

3 28531과 31258 중 30000에 더 가까운 수는 31258이므로 31258 ➜ 31000　**답** **31000**

19쪽

독해 문제 3

주 • 학생 수: 19명

• 학생 한 명에게 나누어 줄 연필 수: 3자루

• 문구점에서 연필을 10자루씩 묶어서 2000원에 판매

어 **1** 필요한 연필 수를 구하고,

2 위 **1**에서 구한 연필 수만큼 사려면 적어도 몇 묶음을 사야 하는지 구한 후,

3 위 **2**에서 구한 묶음 수만큼 구매할 때 필요한 최소 금액을 구하자.

해 **1** 19×3=57(자루)　　　　　　**답** **57자루**

2 10자루씩 묶음으로 판매하므로 57을 올림하여 십의 자리까지 나타내면 57 → 60이다.

➜ 60자루를 사야 하므로 10자루씩 6묶음을 사야 한다.　　　　　　　　**답** **6묶음**

주의 연필이 57자루 필요하므로 60자루 이상을 구매해도 된다. 하지만 최소 금액을 물었으므로 60자루를 사야 한다.

3 연필을 적어도 6묶음 사야 하므로 필요한 최소 금액은 6×2000=12000(원)이다.

답 **12000원**

독해 문제 3-1 　　　　　정답에서 제공하는 **쌍둥이 문제**

우리 반 학생 17명에게/ 색종이를 50장씩 나누어 주려고 합니다./
문구점에서 색종이를 100장씩 묶어서/ 3000원에 판매하고 있습니다./
문구점에서 색종이를 사려면/ 최소 얼마가 필요한가요?

주 • 학생 수: 17명

• 학생 한 명에게 나누어 줄 색종이 수: 50장

• 문구점에서 색종이를 100장씩 묶어서 3000원에 판매

어 **1** 필요한 색종이 수를 구하고,

2 위 **1**에서 구한 색종이 수보다 모자라지 않아야 하므로 올림하여 사야 할 묶음 수를 구한 후,

3 위 **2**에서 구한 묶음 수만큼 구매할 때 필요한 최소 금액을 구하자.

해 **1** (필요한 색종이 수)
=17×50=850(장)

2 사야 할 색종이는 적어도 900장이므로 100장씩 9묶음을 사야 한다.

3 (필요한 최소 금액)
=9×3000=27000(원)　**답** **27000원**

독해 문제 4

주 • 바구니의 수: 4개

• 바구니마다 담겨 있는 초콜릿:
13개 초과 16개 이하

어 **1** 바구니 4개에 담겨 있는 초콜릿이 가장 많을 때와 가장 적을 때의 초콜릿 수를 각각 구하고,

2 위 **1**에서 구한 두 수의 차를 구하자.

해 **1** **전략** ● 이하인 수에는 ●가 포함된다.

바구니마다 담겨 있는 초콜릿이 가장 많을 때는 16개일 때이다.

➜ 16×4=64(개)　　　　　**답** **64개**

2 **전략** ■ 초과인 수에는 ■가 포함되지 않는다.

바구니마다 담겨 있는 초콜릿이 가장 적을 때는 14개일 때이다.

➜ 14×4=56(개)　　　　　**답** **56개**

3 64-56=8(개)　　　　　**답** **8개**

독해 문제 **4-1** 정답에서 제공하는 **쌍둥이 문제**

바구니 6개에 사탕이 담겨 있습니다. /
바구니마다 담겨 있는 사탕이 /
21개 이상 26개 미만일 때, /
바구니 6개에 담겨 있는 사탕이 /
가장 많을 때와 가장 적을 때의 사탕 수의 차는 /
몇 개인가요?

주 • 바구니의 수: 6개
  • 바구니마다 담겨 있는 사탕:
    21개 이상 26개 미만

어 **1** 바구니 6개에 담겨 있는 사탕이 가장 많을 때
   와 가장 적을 때의 사탕 수를 각각 구하고,

  2 위 **1**에서 구한 두 수의 차를 구하자.

해 **1** 바구니 6개에 담겨 있는 사탕이 가장 많을 때:
   $25 \times 6 = 150$(개)

  2 바구니 6개에 담겨 있는 사탕이 가장 적을 때:
   $21 \times 6 = 126$(개)

  3 사탕 수의 차: $150 - 126 = 24$(개)

   답 **24개**

20쪽

독해 문제 **5**

해 **1** 시작 부분을 비교하면 $100 > 96$이므로 공통인
   범위의 시작은 '100 초과'이고,
   끝 부분을 비교하면 $123 > 117 > 106$이므로 공
   통인 범위의 끝은 '106 미만'이다.

   답 **100 초과 106 미만**

  2 100 초과 106 미만인 수에는 100과 106이 포함
   되지 않으므로 수의 범위에 포함되는 자연수는
   101, 102, 103, 104, 105이다.

   답 **101, 102, 103, 104, 105**

  3 답 **5개**

참고 • 시작 부분은 세 번째 범위에 시작 부분이 없으므로 첫
    번째 범위와 두 번째 범위의 시작 부분 중 더 큰 수를
    찾아야 한다.
   • 끝 부분은 세 범위의 끝 부분 중 가장 작은 수를 찾아
    야 한다.

주의 세 번째 범위인 '106 미만인 수'에서 106을 범위의 시작하
   는 수로 생각하지 않도록 주의한다.

독해 문제 **5-1** 정답에서 제공하는 **쌍둥이 문제**

세 수의 범위에 공통으로 속하는 자연수는 /
모두 몇 개인가요?

㉠ 76 초과 100 미만인 수
㉡ 83 초과 105 이하인 수
㉢ 95 이상인 수

구 세 수의 범위에 공통으로 속하는 자연수의 개수

주 세 수의 범위

어 **1** 세 수의 범위의 시작 부분 중 가장 큰 수를,
   끝 부분 중 더 작은 수를 찾아 공통인 범위
   를 구하고,

  2 위 **1**에서 구한 수의 범위에 속하는 자연수
   를 모두 구해 그 개수를 세자.

해 **1** ㉠, ㉡, ㉢의 공통인 범위: 95 이상 100 미만

  2 위 **1**의 범위에 속하는 자연수:
   95, 96, 97, 98, 99 ➡ 5개

   답 **5개**

주의 ㉢에서 95를 범위의 끝나는 수로 생각하지 않도록
   주의한다.

21쪽

독해 문제 **6**

주 • 450   • 450

해 **1** 반올림하여 십의 자리까지 나타낸 수가 450이
   되려면 445와 같거나 크고, 455보다는 작아야
   한다.

   답 **445, 455**

  2 올림하여 십의 자리까지 나타낸 수가 450이 되려
   면 440보다는 크고, 450과 같거나 작아야 한다.

   답 **440, 450**

  3 시작 부분을 비교하면 $445 > 440$이므로 공통인
   범위의 시작은 '445 이상'이고,
   끝 부분을 비교하면 $455 > 450$이므로 공통인 범
   위의 끝은 '450 이하'이다.

   답 **445 이상 450 이하**

  4 445 이상 450 이하인 수의 범위에 속하는 자연
   수는 445, 446, 447, 448, 449, 450이므로 모
   두 6개이다.

   답 **6개**

독해 문제 | 6-1 ▌정답에서 제공하는 쌍둥이 문제

반올림하여 십의 자리까지 나타내어도 330이 되고,/
올림하여 십의 자리까지 나타내어도 330이 되는/
자연수는 모두 몇 개인가요?

어 **1** 반올림하여 십의 자리까지 나타낸 수가 330이
되는 수의 범위를 구하고,

2 올림하여 십의 자리까지 나타낸 수가 330이
되는 수의 범위를 구한 후,

3 위 **1**과 **2**에서 구한 수의 범위에 공통인 범
위를 찾아 포함되는 자연수를 모두 세자.

해 **1** 반올림하여 십의 자리까지 나타낸 수가 330이
되는 수의 범위: 325 이상 335 미만

2 올림하여 십의 자리까지 나타낸 수가 330이
되는 수의 범위: 320 초과 330 이하

3 위 **1**과 **2**에서 구한 수의 범위에 공통인 범위:
325 이상 330 이하

4 위 **3**의 범위에 속하는 자연수:
325, 326, 327, 328, 329, 330 ➡ 6개

답 6개

STEP 4 창의·융합·코딩 체험하기   22~25쪽

22쪽

융합 **1**

1000원이 안 되는 금액은 1000원짜리 지폐로 교환할
수 없다.

100원짜리 동전 37개는 3700원이므로 3700을 버림하
여 천의 자리까지 나타내면 3700 ➡ 3000이다.

따라서 3000원까지는 1000원짜리 지폐 3장으로 나오
고 남은 700원은 동전으로 다시 나오게 된다.

답 3, 7

창의 **2**

• ■ 미만인 수에는 ■가 포함되지 않는다.

• ▲ 이상인 수에는 ▲가 포함된다.

답
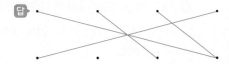

23쪽

코딩 **3**

7.093을 반올림하여 소수 첫째 자리까지 나타내면

7.093 ➡ 7.1   답 7.1

융합 **4**

서울: 81은 80 초과 150 이하인 농도의 범위에 포함되
므로 '나쁨'이다. ➡ 시

대구: 80은 30 초과 80 이하인 농도의 범위에 포함되
므로 '보통'이다. ➡ 라

광주: 23은 30 이하인 농도의 범위에 포함되므로 '좋
음'이다. ➡ 솔

부산: 30은 30 이하인 농도의 범위에 포함되므로 '좋
음'이다. ➡ 솔

답 (위부터) 시, 라, 솔, 솔

24쪽

융합 **5**

7.0 cm는 7.0 cm 이상 10.0 cm 미만인 범위에 포함
되므로 2등급이다.   답 2등급

융합 **6**

현주는 2등급이고 2등급의 범위는
7.0 cm 이상 10.0 cm 미만이다.

따라서 2등급 범위에 속하는 기록은 9.9 cm이므로 현
주와 같은 등급을 받는 학생은 하민이다.   답 하민

25쪽

융합 **7**

서현이는 어린이 요금으로 40000원, 언니는 청소년 요
금으로 43000원, 아버지는 어른 요금으로 46000원,
할머니는 경로 요금으로 40000원을 내야 한다.

따라서 서현이네 가족 4명이 내야 할 입장료는 모두
40000+43000+46000+40000=169000(원)이다.

답 169000원

융합 **8**

준하네 가족이 주차한 시간은
오후 1시 40분-오전 11시 40분=2시간=120분이다.

120분은 120분 이상의 범위에 속하므로 주차 요금으로
25000원을 내야 한다.   답 25000원

실전 **마무리 하기** 26~29쪽

1 ❶ 남는 수박 없이 모두 실어야 하므로 올림한다.
❷ 100통씩 실어야 하므로
738을 올림하여 백의 자리까지 나타내면
738 ➡ 800
❸ 필요한 최소 트럭 수: 8대 **답** 8대

> 참고) 738을 올림하여 백의 자리까지 나타낸 수 800통으로 생각하고 트럭마다 100통씩 실으면 필요한 최소 트럭의 수는 8대이다.

> 주의) 100통씩 실은 트럭 7대와 남은 수박 38통을 실을 트럭 1대가 더 필요하므로 최소 8대가 필요하다.

2 ❶ 10 g이 안 되면 만들 수 없으므로 버림한다.
❷ 10 g씩 필요하므로
648을 버림하여 십의 자리까지 나타내면
648 ➡ 640
❸ 만들 수 있는 최대 솜사탕 수: 64개 **답** 64개

> 참고) 648 g을 버림하여 십의 자리까지 나타낸 수 640 g으로 생각하면 10 g씩 64개를 만들 수 있으므로 최대로 만들 수 있는 솜사탕은 64개이다.

> 주의) 설탕을 10 g씩 사용하여 솜사탕 64개를 만들고, 남은 8 g으로는 만들 수 없으므로 최대 64개까지 만들 수 있다.

3 ❶ 가장 큰 다섯 자리 수: 87532
❷ 반올림하여 천의 자리까지 나타내면
87532 ➡ 88000 **답** 88000

4 ❶ 3등급의 기록 범위: 50회 이상 73회 미만
❷ 현석이와 같은 등급에 속하는 학생: 우진

> 참고) 기록이 50회 이상 73회 미만인 범위에 포함되는 학생은 기록이 50회인 우진이다.

답 우진

5 ❶ 소수 세 자리 수: □.□□□
❷ 만들 수 있는 가장 큰 소수 세 자리 수: 9.873
❸ 반올림하여 소수 둘째 자리까지 나타내기:
9.873 ➡ 9.87 **답** 9.87

6 ❶ 수직선에 나타낸 수의 범위에 속하는 자연수 5개를 큰 수부터 차례로 쓰기
➡ 34, 33, 32, 31, 30
❷ ㉠에 알맞은 자연수: 29

> 주의) 수의 범위에 30까지 속해야 하고 ㉠은 속하지 않으므로 ㉠은 30보다 1만큼 더 작은 자연수 29여야 한다.

답 29

7 ❶ 두 수의 범위에 공통인 범위:
88 초과 96 미만

> 참고) 두 범위의 시작 부분을 비교하면 76<88이므로 공통인 범위의 시작은 '88 초과'이고,
> 두 범위의 끝 부분을 비교하면 96<100이므로 공통인 범위의 끝은 '96 미만'이다.

❷ 위 ❶에서 구한 범위에 속하는 자연수:
89, 90, 91, 92, 93, 94, 95
❸ 두 수의 범위에 공통으로 속하는 자연수는 모두 7개 **답** 7개

8 ❶ 올림하였으므로 수의 범위는 2000과 같거나 작은 수
❷ 귤의 수의 범위: 1000개 초과 2000개 이하
❸ 수확한 최소 귤의 수: 1001개 **답** 1001개

9 ❶ (필요한 당근 수)=12×2
=24(개)
❷ 사야 할 당근은 적어도 30개이므로 10개씩 3묶음을 사야 한다.

> 참고) 10개씩 묶음으로 판매하므로 24를 올림하여 십의 자리까지 나타내면 24 ➡ 30이다.
> 따라서 당근을 30개 사야 하므로 10개씩 3묶음을 사야 한다.

❸ (필요한 최소 금액)=3×3000
=9000(원) **답** 9000원

10 ❶ 상자 3개에 담겨 있는 팽이가 가장 많을 때:
8×3=24(개)
❷ 상자 3개에 담겨 있는 팽이가 가장 적을 때:
5×3=15(개)
❸ 팽이 수의 차: 24-15=9(개) **답** 9개

2 분수의 곱셈

FUN 한 이야기　30～31쪽

15, 4 / 4

1 STEP 문제 해결력 기르기　32～37쪽

32쪽

선행 문제 **1**

① 1　② 1, $\frac{2}{3}$ / 1, $\frac{2}{3}$

실행 문제 **1**

❶ 4

❷ $\frac{3}{4}$ / 4, $\frac{3}{4}$, $\frac{3}{7}$　　답 $\frac{3}{7}$

쌍둥이 문제 **1-1**

❶ 텃밭 ➡ 마당 전체의 $\frac{2}{5}$

❷ 고추를 심은 부분

　➡ 텃밭의 $\frac{1}{3}$

　➡ 마당 전체의 $\frac{2}{5} \times \frac{1}{3} = \frac{2}{15}$　　답 $\frac{2}{15}$

33쪽

선행 문제 **2**

① $\frac{1}{4}$　② 1, 3　③ 3, $\frac{3}{5}$ / 3, $\frac{3}{5}$

실행 문제 **2**

❶ 3, 5

❷ $\frac{2}{5}$ / 5, $\frac{2}{5}$, $\frac{1}{4}$　　답 $\frac{1}{4}$

쌍둥이 문제 **2-1**

❶ 집을 그리고 남은 부분 ➡ 전체의 $1 - \frac{3}{7} = \frac{4}{7}$

❷ 나무를 그린 부분

　➡ 집을 그리고 남은 부분의 $\frac{3}{4}$

　➡ 전체의 $\overset{1}{\cancel{4}}_{} \times \frac{3}{\cancel{4}_{1}} = \frac{3}{7}$　　답 $\frac{3}{7}$

34쪽

선행 문제 **3**

① 2　② 2, 15, 2, 6

실행 문제 **3**

❶ $\frac{3}{4}$

❷ $7\frac{1}{9}$, $\frac{3}{4}$, $5\frac{1}{3}$　　답 $5\frac{1}{3}$ m²

쌍둥이 문제 **3-1**

❶ 색칠한 부분은 원의 $\frac{4}{5}$

❷ 전략 (원의 넓이)×(❶에서 구한 분수)

　(색칠한 부분의 넓이)

　$= \frac{5}{7} \times \frac{4}{\cancel{5}_{1}} = \frac{4}{7}$ (m²)　　답 $\frac{4}{7}$ m²

35쪽

선행 문제 **4**

작게에 ○표, **크게**에 ○표,

$\frac{1}{6} \times \frac{2}{8}$ (또는 $\frac{1}{8} \times \frac{2}{6}$)

실행 문제 **4**

❶ 3, 5 / 6, 7

❷ $\frac{\overset{1}{\cancel{3}}}{\cancel{6}_{2}} \times \frac{5}{7} = \frac{5}{14}$ (또는 $\frac{\overset{1}{\cancel{3}}}{7} \times \frac{5}{\cancel{6}_{2}} = \frac{5}{14}$)　　답 $\frac{5}{14}$

쌍둥이 문제 **4-1**

❶ 분자에 사용할 수 카드: 2 , 4

　분모에 사용할 수 카드: 7 , 9

❷ 계산 결과가 가장 작은 식:

　$\frac{2}{7} \times \frac{4}{9} = \frac{8}{63}$ (또는 $\frac{2}{9} \times \frac{4}{7} = \frac{8}{63}$)　　답 $\frac{8}{63}$

36쪽

선행 문제 **5**

⑴ 35, 7

⑵ 25, 5

⑶ 10, 1

실행 문제 5

❶ 45, 3

❷ 3, 10 답 10 km

쌍둥이 문제 5-1

❶ 2분 40초 $= 2\dfrac{40}{60}$ 분 $= 2\dfrac{2}{3}$ 분

❷ (2분 40초 동안 갈 수 있는 거리)

$= 1\dfrac{2}{7} \times 2\dfrac{2}{3} = \dfrac{9}{7} \times \dfrac{\overset{3}{8}}{\underset{1}{3}}$

$= \dfrac{24}{7} = 3\dfrac{3}{7}$ (km) 답 $3\dfrac{3}{7}$ km

37쪽

선행 문제 6

⑴ < / 1, 2

⑵ < / 1, 2, 3

실행 문제 6

❶ (위부터) 1, 5

❷ 5, <

❸ 2, 3, 4 / 3 답 3개

쌍둥이 문제 6-1

❶ $\dfrac{1}{\blacksquare \times 7} > \dfrac{1}{40}$

❷ $\blacksquare \times 7 < 40$

❸ $\blacksquare$가 될 수 있는 1보다 큰 자연수:

2, 3, 4, 5 ➡ 4개 답 4개

2 STEP 수학 사고력 키우기 38~43쪽

38쪽

대표 문제 1

해 ❶ 식 $\dfrac{2}{3} \times \dfrac{1}{4}$

❷ $\overset{2}{6} \times \dfrac{\overset{1}{2}}{\underset{1}{3}} \times \dfrac{1}{\underset{1}{4}} = 1$(시간) 답 1시간

쌍둥이 문제 1-1

주

전체 색종이 : 140장

종이접기

종이학

❶ 종이학을 접는 데 사용한 색종이는

전체 색종이의 $\dfrac{1}{7} \times \dfrac{3}{4}$

❷ (종이학을 접는 데 사용한 색종이 수)

$= \overset{20}{1\!40} \times \dfrac{1}{\underset{1}{7}} \times \dfrac{3}{\underset{1}{4}} = 15$(장) 답 15장

39쪽

대표 문제 2

해 ❶ 어제까지 전체의 $\dfrac{5}{6}$ 를 읽고 남은 나머지는

전체의 $1 - \dfrac{5}{6} = \dfrac{1}{6}$ 이다. 답 $\dfrac{1}{6}$

❷ 오늘 읽은 동화책은 나머지의 $\dfrac{4}{5}$

➡ $\left(전체의 \dfrac{1}{6}\right)$의 $\dfrac{4}{5}$

➡ 전체의 $\dfrac{1}{6} \times \dfrac{4}{5}$ 식 $\dfrac{1}{6} \times \dfrac{4}{5}$

❸ $\overset{25}{1\!50} \times \dfrac{1}{\underset{1}{6}} \times \dfrac{4}{\underset{1}{5}} = 20$(쪽) 답 20쪽

쌍둥이 문제 2-1

주

전체 리본 길이 : 120 cm

선물 포장   나머지

장식품

❶ 선물을 포장하고 남은 나머지는

전체의 $1 - \dfrac{1}{3} = \dfrac{2}{3}$

❷ 장식품을 만드는 데 쓴 리본은 전체의 $\dfrac{2}{3} \times \dfrac{5}{8}$

❸ (장식품을 만드는 데 쓴 리본의 길이)

$= \overset{40}{1\!20} \times \dfrac{2}{\underset{1}{3}} \times \dfrac{5}{\underset{1}{8}} = 50$ (cm) 답 50 cm

40쪽

대표 문제 ③

해 ❶ $7\frac{3}{5} \times 5\frac{5}{6} = \frac{\overset{19}{\cancel{38}}}{\cancel{5}_{1}} \times \frac{\overset{7}{\cancel{35}}}{\cancel{6}_{3}} = \frac{133}{3} = 44\frac{1}{3}$ (cm²)

답 $44\frac{1}{3}$ cm²

❷ 답 $\frac{5}{6}$

❸ $44\frac{1}{3} \times \frac{5}{6} = \frac{133}{3} \times \frac{5}{6} = \frac{665}{18} = 36\frac{17}{18}$ (cm²)

답 $36\frac{17}{18}$ cm²

쌍둥이 문제 ③-1

어 ❶ (한 변)×(한 변)을 계산하여 정사각형의 넓이를 구하고,

❷ 색칠한 부분은 전체의 얼마인지 분수로 나타내어 정사각형의 넓이에 곱해 색칠한 부분의 넓이를 구하자.

❶ (정사각형의 넓이)$= 2\frac{2}{7} \times 2\frac{2}{7} = \frac{16}{7} \times \frac{16}{7}$

$= \frac{256}{49} = 5\frac{11}{49}$ (m²)

❷ **전략** 똑같이 8로 나눈 것 중의 7을 분수로 나타내자.

색칠한 부분은 정사각형의 $\frac{7}{8}$

❸ **전략** (❶에서 구한 정사각형의 넓이)×(❷에서 구한 분수)
(색칠한 부분의 넓이)

$= 5\frac{11}{49} \times \frac{7}{8} = \frac{\overset{32}{\cancel{256}}}{\cancel{49}_{7}} \times \frac{7}{\cancel{8}_{1}}$

$= \frac{32}{7} = 4\frac{4}{7}$ (m²)

답 $4\frac{4}{7}$ m²

41쪽

대표 문제 ④

주 수 카드로 만들 수 있는 계산 결과가 가장 작은 세 진분수의 곱

해 ❶ 답 1, 2, 3

❷ 답 9, 8, 5

❸ $\frac{1 \times \overset{1}{\cancel{2}} \times \overset{1}{\cancel{3}}}{\cancel{9}_{3} \times \cancel{8}_{4} \times 5} = \frac{1}{60}$ **답** $\frac{1}{60}$

쌍둥이 문제 ④-1

어 ❶ 가장 작은 수부터 차례로 세 수를 골라 분자에, 가장 큰 수부터 차례로 세 수를 골라 분모에 놓고,

❷ 분자는 분자끼리, 분모는 분모끼리 곱해 세 진분수의 곱을 구하자.

❶ 분자에 사용할 수 카드: 1, 5, 6

❷ 분모에 사용할 수 카드: 9, 8, 7

❸ 계산 결과가 가장 작을 때의 세 진분수의 곱:

$\frac{1 \times 5 \times \overset{1}{\cancel{6}}}{\cancel{9}_{3} \times \cancel{8}_{4} \times 7} = \frac{5}{84}$ **답** $\frac{5}{84}$

42쪽

대표 문제 ⑤

해 ❶ $41\frac{1}{4} \times 2 = \frac{165}{\cancel{4}_{2}} \times \overset{1}{\cancel{2}} = \frac{165}{2} = 82\frac{1}{2}$ (km)

답 $82\frac{1}{2}$ km

❷ 1시간 12분 $= 1\frac{12}{60}$시간 $= 1\frac{1}{5}$시간

답 $1\frac{1}{5}$시간

❸ $82\frac{1}{2} \times 1\frac{1}{5} = \frac{\overset{33}{\cancel{165}}}{\cancel{2}_{1}} \times \frac{\overset{3}{\cancel{6}}}{\cancel{5}_{1}} = 99$ (km) **답** 99 km

쌍둥이 문제 ⑤-1

어 ❶ 30초 동안 나오는 물의 양의 2배를 하여 1분 동안 나오는 물의 양을 구하고,

❷ 물을 받는 시간을 분 단위로 나타내어 ❶에서 구한 물의 양과 곱하자.

❶ (1분 동안 받을 수 있는 물의 양)

$= 3\frac{4}{5} \times 2 = \frac{19}{5} \times 2 = \frac{38}{5} = 7\frac{3}{5}$ (L)

❷ **전략** 1초 $= \frac{1}{60}$분

3분 45초 $= 3\frac{45}{60}$분 $= 3\frac{3}{4}$분

❸ (3분 45초 동안 받을 수 있는 물의 양)

$= 7\frac{3}{5} \times 3\frac{3}{4} = \frac{\overset{19}{\cancel{38}}}{\cancel{5}_{1}} \times \frac{\overset{3}{\cancel{15}}}{\cancel{4}_{2}} = \frac{57}{2} = 28\frac{1}{2}$ (L)

답 $28\frac{1}{2}$ L

43쪽

대표 문제 6

해 ❶ 답 $\dfrac{1}{\blacksquare \times 4}$

❷ 답 $\blacksquare \times 4$

❸ $\blacksquare = 2$일 때 $10 < 2 \times 4 < 30\,(\times)$,

$\blacksquare = 3$일 때 $10 < 3 \times 4 < 30\,(\bigcirc)$,

$\blacksquare = 4$일 때 $10 < 4 \times 4 < 30\,(\bigcirc)$,

$\blacksquare = 5$일 때 $10 < 5 \times 4 < 30\,(\bigcirc)$,

$\blacksquare = 6$일 때 $10 < 6 \times 4 < 30\,(\bigcirc)$,

$\blacksquare = 7$일 때 $10 < 7 \times 4 < 30\,(\bigcirc)$,

$\blacksquare = 8$일 때 $10 < 8 \times 4 < 30\,(\times)$

답 3, 4, 5, 6, 7

쌍둥이 문제 6-1

❶ 전략 분자는 분자끼리, 분모는 분모끼리 곱하자.

$\dfrac{1}{64} < \dfrac{1}{8 \times \blacksquare} < \dfrac{1}{40}$

❷ 전략 단위분수는 분모가 작을수록 크다.

$40 < 8 \times \blacksquare < 64$

❸ 전략 위 ❷의 크기 비교를 만족하는 $\blacksquare$를 구하자.

$\blacksquare$가 될 수 있는 자연수: 6, 7

답 6, 7

3 STEP 수학 독해력 완성하기 44~47쪽

44쪽

독해 문제 1

해 ❶ 답 1000 mL

❷ 아침: 1000 mL의 $\dfrac{1}{4}$

$\rightarrow \overset{250}{\cancel{1000}} \times \dfrac{1}{\cancel{4}} = 250 \text{ (mL)}$

점심: 1000 mL의 $\dfrac{1}{5}$

$\rightarrow \overset{200}{\cancel{1000}} \times \dfrac{1}{\cancel{5}} = 200 \text{ (mL)}$

답 250 mL, 200 mL

❸ $250 + 200 = 450 \text{ (mL)}$

답 450 mL

지석이가 산책 중 걸은 거리는 1 km의 $\dfrac{1}{4}$이고, /

자전거를 탄 거리는 1 km의 $\dfrac{1}{2}$입니다. /

지석이가 산책 중 걷고 자전거를 탄 거리는 모두 몇 m인가요?

구 지석이가 산책 중 걷고 자전거를 탄 거리

어 ❶ 1 km를 m로 바꾸어 걷고 자전거를 탄 거리를 각각 구하고,

❷ 위 ❶에서 구한 두 거리의 합을 구하자.

해 ❶ 1 km $= 1000$ m

❷ 걸은 거리: $\overset{250}{\cancel{1000}} \times \dfrac{1}{\cancel{4}} = 250 \text{ (m)}$,

자전거를 탄 거리: $\overset{500}{\cancel{1000}} \times \dfrac{1}{\cancel{2}} = 500 \text{ (m)}$

❸ 걷고 자전거를 탄 거리는 모두

$250 + 500 = 750 \text{ (m)}$

답 750 m

독해 문제 2

어 ❶ 색칠된 직사각형을 5등분하여 크기가 $\dfrac{1}{4}$인 직사각형을 만들고,

❷ 위 ❶에서 만든 크기의 4배를 하여 크기가 1인 직사각형을 만들자.

해 ❶ 주어진 직사각형을 분자만큼 5등분하면 크기가 $\dfrac{1}{4}$인 직사각형이 만들어진다.

답 예

❷ 분자만큼 나누어 만든 크기가 $\dfrac{1}{4}$인 직사각형이 분모만큼 4개 있으면 크기가 1인 직사각형이 만들어진다.

답 예

독해 문제 | 2-1 정답에서 제공하는 **쌍둥이 문제**

오른쪽에 색칠된 직사각형은 어떤 직사각형의 $\frac{3}{2}$입니다./

색칠된 직사각형에 크기가 1인 어떤 직사각형을 그리세요.

해 ❶ 크기가 $\frac{1}{2}$인 직사각형 만들기

$\leftarrow \frac{1}{2}$

➡

❷ 크기가 1인 직사각형 만들기

➡ 답

45쪽

독해 문제 | 3

해 ❶ 답 $5\frac{1}{4}$, $1\frac{4}{5}$

❷ $5\frac{1}{4} \times 1\frac{4}{5} = \frac{21}{4} \times \frac{9}{5} = \frac{189}{20} = 9\frac{9}{20}$

답 $9\frac{9}{20}$

독해 문제 | 3-1 정답에서 제공하는 **쌍둥이 문제**

수 카드 3장을 한 번씩만 사용하여 대분수를 만들려고 합니다./

만들 수 있는 가장 큰 대분수와 가장 작은 대분수의/ 곱을 구하세요.

2   3   7

해 ❶ 가장 큰 대분수: $7\frac{2}{3}$,

가장 작은 대분수: $2\frac{3}{7}$

❷ 곱: $7\frac{2}{3} \times 2\frac{3}{7} = \frac{23}{3} \times \frac{17}{7} = \frac{391}{21} = 18\frac{13}{21}$

답 $18\frac{13}{21}$

독해 문제 | 4

주 •바른 계산: 어떤 수에 $3\frac{1}{2}$을 곱함.

•잘못된 계산: 어떤 수에 $3\frac{1}{2}$을 더한 값이 $5\frac{3}{4}$

어 ❶ 어떤 수를 □라 하여 잘못 계산한 식을 세우고,

❷ 위 ❶의 식에서 어떤 수를 구해 바르게 계산한 값을 구하자.

해 ❶ 식 $\square + 3\frac{1}{2} = 5\frac{3}{4}$

❷ $\square + 3\frac{1}{2} = 5\frac{3}{4}$,

$\square = 5\frac{3}{4} - 3\frac{1}{2} = \frac{23}{4} - \frac{7}{2}$

$= \frac{23}{4} - \frac{14}{4} = \frac{9}{4} = 2\frac{1}{4}$

➡ 어떤 수는 $2\frac{1}{4}$

답 $2\frac{1}{4}$

❸ $2\frac{1}{4} \times 3\frac{1}{2} = \frac{9}{4} \times \frac{7}{2}$

$= \frac{63}{8} = 7\frac{7}{8}$

답 $7\frac{7}{8}$

독해 문제 | 4-1 정답에서 제공하는 **쌍둥이 문제**

어떤 수에 $2\frac{1}{7}$을 곱해야 할 것을/

잘못하여 뺐더니 $1\frac{2}{5}$가 되었습니다./

바르게 계산하면 얼마인지 구하세요.

주 •바른 계산: 어떤 수에 $2\frac{1}{7}$을 곱함.

•잘못된 계산: 어떤 수에서 $2\frac{1}{7}$을 뺀 값이 $1\frac{2}{5}$

해 ❶ 어떤 수를 □라 하여 잘못 계산한 식 쓰기:

$\square - 2\frac{1}{7} = 1\frac{2}{5}$

❷ $\square = 1\frac{2}{5} + 2\frac{1}{7} = \frac{7}{5} + \frac{15}{7} = \frac{49}{35} + \frac{75}{35}$

$= \frac{124}{35} = 3\frac{19}{35}$

➡ 어떤 수는 $3\frac{19}{35}$

❸ 바른 계산:

$3\frac{19}{35} \times 2\frac{1}{7} = \frac{124}{35} \times \frac{\overset{3}{15}}{7} = \frac{372}{49} = 7\frac{29}{49}$

답 $7\frac{29}{49}$

독해 문제 **5**

구 6

해 ❶ 1분 50초＝$1\frac{50}{60}$분＝$1\frac{5}{6}$분　　　**답** $1\frac{5}{6}$분

❷ (하루에 빨라지는 시간)×6

$＝1\frac{5}{6}×6＝\frac{11}{\overset{1}{\cancel{6}}}×\overset{1}{\cancel{6}}＝11$(분)　　**답** 11분

❸ 오전 9시보다 11분 빨라지므로 시계는
오전 9시＋11분＝오전 9시 11분을 가리킨다.

답 오전 9시 11분

참고

원래 시각보다 ■분 빠른 시각: (원래 시각)＋■분
원래 시각보다 ■분 느린 시각: (원래 시각)－■분

독해 문제 **5-1**　　정답에서 제공하는 **쌍둥이 문제**

하루에 2분 24초씩 빨라지는 시계가 있습니다. /
이 시계를 오늘 오전 10시에 정확하게 맞추었다면 /
5일 후 오전 10시에 이 시계는 /
오전 몇 시 몇 분을 가리키나요?

구 하루에 2분 24초씩 빨라지는 시계가 5일 후 오전 10시에 가리키는 시각

주 •시계가 하루에 2분 24초씩 빨라짐.
•오늘 오전 10시에 시계를 정확하게 맞춤.

어 ❶ 하루에 빨라지는 시간을 분 단위로 간단히 나타내고,

❷ 위 ❶에서 나타낸 시간에 5를 곱해 5일 동안 빨라지는 시간을 구하자.

```
        1일 후   ┌──────────┐
10시 ──┤         │ 10시 ■분   │
        5일 후   └──────────┘
                 ┌──────────────┐
                 │ 10시 (■×5)분  │
                 └──────────────┘
```

해 ❶ 2분 24초＝$2\frac{24}{60}$분＝$2\frac{2}{5}$분

❷ (5일 동안 빨라지는 시간)

$＝2\frac{2}{5}×5＝\frac{12}{5}×5＝12$(분)

❸ 5일 후 오전 10시에 이 시계가 가리키는 시각:
오전 10시＋12분＝오전 10시 12분

답 오전 10시 12분

독해 문제 **6**

해 ❶ 지난달까지 전체의 $\frac{2}{3}$를 배우고 남은 나머지는 전체의 $1-\frac{2}{3}=\frac{1}{3}$이다.　**답** $\frac{1}{3}$

❷ 이번 달에 배운 곡은 전체의 $\frac{1}{3}×\frac{2}{5}=\frac{2}{15}$이다.

답 $\frac{2}{15}$

❸ 이번 달까지 배운 곡은 전체의
$\frac{2}{3}+\frac{2}{15}=\frac{10}{15}+\frac{2}{15}=\frac{\overset{4}{\cancel{12}}}{\underset{5}{\cancel{15}}}=\frac{4}{5}$이다.　**답** $\frac{4}{5}$

❹ $\overset{21}{\cancel{105}}×\frac{4}{\underset{1}{\cancel{5}}}=84$(곡)　　**답** 84곡

독해 문제 **6-1**　　정답에서 제공하는 **쌍둥이 문제**

재하는 어제까지 우유 전체의 $\frac{3}{5}$을 마셨고, /
오늘은 어제까지 마시고 남은 나머지의 $\frac{1}{3}$을 마셨습니다. /
처음에 있던 우유가 3 L일 때, /
오늘까지 마신 우유는 몇 L인가요?

어 ❶ (오늘까지 마신 양)
＝(어제까지 마신 양)＋(오늘 마신 양)이므로 오늘 마신 양이 전체의 얼마인지 먼저 구하고,

❷ 위 ❶에 주어진 식을 이용해 오늘까지 마신 양이 전체의 얼마인지 구한 후,

❸ 처음 우유의 양에 ❷에서 구한 분수를 곱하자.

해 ❶ 어제까지 마시고 남은 양: 전체의 $1-\frac{3}{5}=\frac{2}{5}$

❷ 오늘 마신 양: 전체의 $\frac{2}{5}×\frac{1}{3}=\frac{2}{15}$

❸ 오늘까지 마신 양: 전체의 $\frac{3}{5}+\frac{2}{15}=\frac{11}{15}$

❹ 오늘까지 마신 양: $\overset{1}{\cancel{3}}×\frac{11}{\underset{5}{\cancel{15}}}=\frac{11}{5}=2\frac{1}{5}$ (L)

답 $2\frac{1}{5}$ L

4 STEP 창의 융합 코딩 체험하기 48~51쪽

48쪽

융합 1

(1) 본래 음표인 사분음표(♩)가 1박이므로

점사분음표(♩.)는 $1 \times \frac{3}{2} = \frac{3}{2} = 1\frac{1}{2}$(박)이다.

답 $1\frac{1}{2}$박

(2) 본래 음표인 팔분음표(♪)가 $\frac{1}{2}$박이므로

점팔분음표(♪.)는 $\frac{1}{2} \times \frac{3}{2} = \frac{3}{4}$(박)이다.

답 $\frac{3}{4}$박

코딩 2

① $\frac{3}{5}$은 기약분수이므로 '예'로 간다. ➡ $\frac{3}{5} \times \frac{3}{2} = \frac{9}{10}$

② $\frac{9}{10}$는 가분수가 아니므로 '아니요'로 간다.

➡ $\frac{9}{10} \times 1\frac{3}{5} = \overset{}{\underset{5}{\frac{9}{10}}} \times \frac{\overset{4}{8}}{5} = \frac{36}{25} = 1\frac{11}{25}$

답 $1\frac{11}{25}$

49쪽

창의 3

$30 \times 15 = 450$ (cm^2)

답 450 cm^2

창의 4

(가의 넓이) $= \overset{75}{\underset{1}{450}} \times \frac{1}{6} = 75$ (cm^2)

답 75 cm^2 / 예
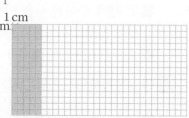

> **참고** 모눈이 75칸인 직사각형 모양으로 나타내면 모두 정답이다.

창의 5

(나머지 부분의 넓이) $=450 -$ (가의 넓이)

$= 450 - 75 = 375$ (cm^2)

(나의 넓이) $= \overset{125}{\underset{1}{375}} \times \frac{1}{3} = 125$ (cm^2)

답 125 cm^2 / 예
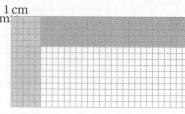

50쪽

코딩 6

$2\frac{2}{5}$ m를 이동하고 시계 방향으로 90° 도는 것을 4번 반복하므로 정사각형이 그려진다.

답 ( )(○)

코딩 7

한 변이 $2\frac{2}{5}$ m인 정사각형이 그려지므로 도형의 넓이는

$2\frac{2}{5} \times 2\frac{2}{5} = \frac{12}{5} \times \frac{12}{5} = \frac{144}{25} = 5\frac{19}{25}$ (m^2)이다.

답 $5\frac{19}{25}$ m^2

51쪽

창의 8

(1) (첫 번째에서 색칠한 삼각형의 넓이) $\times \frac{3}{4}$

$= 2\frac{1}{3} \times \frac{3}{4} = \frac{7}{\underset{1}{3}} \times \frac{\overset{1}{3}}{4} = \frac{7}{4} = 1\frac{3}{4}$ (cm^2)

답 $1\frac{3}{4}$ cm^2

(2) (두 번째에서 색칠한 전체 삼각형의 넓이) $\times \frac{3}{4}$

$= 1\frac{3}{4} \times \frac{3}{4} = \frac{7}{4} \times \frac{3}{4} = \frac{21}{16} = 1\frac{5}{16}$ (cm^2)

답 $1\frac{5}{16}$ cm^2

창의 9

같은 방향으로 한 시간 동안 비행했을 때 두 드론 사이의 거리가

$2\frac{1}{9} - 1\frac{5}{7} = \frac{19}{9} - \frac{12}{7} = \frac{133}{63} - \frac{108}{63} = \frac{25}{63}$ (km)이

므로 같은 방향으로 2시간 동안 비행했을 때 두 드론 사이의 거리는 $\frac{25}{63} \times 2 = \frac{50}{63}$ (km)가 된다. 답 $\frac{50}{63}$ km

52쪽

1 ❶ 6분 24초 $= 6\dfrac{24}{60}$ 분 $= 6\dfrac{2}{5}$ 분

❷ (6분 24초 동안 갈 수 있는 거리)

$= \dfrac{7}{8} \times 6\dfrac{2}{5} = \dfrac{7}{8} \times \dfrac{\overset{4}{32}}{5} = \dfrac{28}{5} = 5\dfrac{3}{5}$ (km)

답 $5\dfrac{3}{5}$ km

2 ❶ $\dfrac{1}{6 \times \blacksquare} > \dfrac{1}{30}$

❷ $6 \times \blacksquare < 30$

❸ $\blacksquare$가 될 수 있는 1보다 큰 자연수: 2, 3, 4 ➡ 3개

답 3개

3 ❶ 구워서 판 달걀은 전체 달걀의 $\dfrac{7}{9} \times \dfrac{1}{3}$

❷ (구워서 판 달걀의 수) $= \overset{8}{\underset{}{\cancel{216}}} \times \dfrac{7}{\cancel{9}} \times \dfrac{1}{\cancel{3}} = 56$ (개)

답 56개

53쪽

4 ❶ 캐릭터의 힘을 키우는 데 쓰고 남은 나머지는

전체의 $1 - \dfrac{7}{10} = \dfrac{3}{10}$

❷ 캐릭터를 꾸미는 데 쓴 게임 머니는 전체의 $\dfrac{3}{10} \times \dfrac{3}{5}$

❸ (캐릭터를 꾸미는 데 쓴 게임 머니)

$= \overset{25}{\underset{}{\cancel{250}}} \times \dfrac{3}{\cancel{10}} \times \dfrac{3}{\cancel{5}} = 45$

답 45

5 ❶ (직사각형 ㄱㄴㄷㄹ의 넓이)

$= 9\dfrac{3}{5} \times 3\dfrac{1}{8} = \dfrac{\overset{6}{\cancel{48}}}{\cancel{5}} \times \dfrac{\overset{5}{\cancel{25}}}{\cancel{8}} = 30$ (m²)

❷ 색칠한 부분은 직사각형의 $\dfrac{4}{9}$

❸ (색칠한 부분의 넓이)

$= \overset{10}{\underset{}{\cancel{30}}} \times \dfrac{4}{\cancel{9}} = \dfrac{40}{3} = 13\dfrac{1}{3}$ (m²)

답 $13\dfrac{1}{3}$ m²

54쪽

6 ❶ 분자에 사용할 수 카드: 2, 4, 5

❷ 분모에 사용할 수 카드: 9, 7, 6

❸ 계산 결과가 가장 작을 때의 세 진분수의 곱:

$\dfrac{\overset{1}{\cancel{2}} \times 4 \times 5}{9 \times 7 \times \underset{3}{\cancel{6}}} = \dfrac{20}{189}$

답 $\dfrac{20}{189}$

7 ❶ (1시간 동안 받을 수 있는 물의 양)

$= 14\dfrac{1}{4} \times 2 = \dfrac{57}{\cancel{4}} \times \overset{1}{\cancel{2}} = \dfrac{57}{2} = 28\dfrac{1}{2}$ (L)

❷ 55분 $= \dfrac{55}{60}$ 시간 $= \dfrac{11}{12}$ 시간

❸ (55분 동안 받을 수 있는 물의 양)

$= 28\dfrac{1}{2} \times \dfrac{11}{12} = \dfrac{\overset{19}{\cancel{57}}}{2} \times \dfrac{11}{\underset{4}{\cancel{12}}} = \dfrac{209}{8} = 26\dfrac{1}{8}$ (L)

답 $26\dfrac{1}{8}$ L

8 ❶ $\dfrac{1}{54} < \dfrac{1}{\blacksquare \times 9} < \dfrac{1}{23}$

❷ $23 < \blacksquare \times 9 < 54$

❸ $\blacksquare$가 될 수 있는 자연수: 3, 4, 5

답 3, 4, 5

55쪽

9 ❶ 어떤 수를 □라 하여 잘못 계산한 식 세우기:

$\square - 1\dfrac{1}{3} = 2\dfrac{1}{6}$

❷ $\square = 2\dfrac{1}{6} + 1\dfrac{1}{3} = 2\dfrac{1}{6} + 1\dfrac{2}{6} = 3\dfrac{3}{6} = 3\dfrac{1}{2}$

➡ 어떤 수: $3\dfrac{1}{2}$

❸ 바르게 계산하기:

$3\dfrac{1}{2} \times 1\dfrac{1}{3} = \dfrac{7}{2} \times \dfrac{\overset{2}{\cancel{4}}}{3} = \dfrac{14}{3} = 4\dfrac{2}{3}$

답 $4\dfrac{2}{3}$

10 ❶ 2분 15초 $= 2\dfrac{15}{60}$ 분 $= 2\dfrac{1}{4}$ 분

❷ (8일 동안 느려지는 시간)

$= 2\dfrac{1}{4} \times 8 = \dfrac{9}{\cancel{4}} \times \overset{2}{\cancel{8}} = 18$ (분)

❸ 8일 후 오전 10시에 이 시계가 가리키는 시각:

오전 10시 $-$ 18분 $=$ 오전 9시 42분

답 오전 9시 42분

3 합동과 대칭

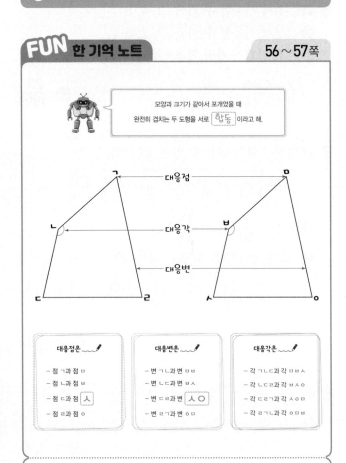

모양과 크기가 같아서 포개었을 때
완전히 겹치는 두 도형을 서로 합동 이라고 해.

대응점은	대응변은	대응각은
- 점 ㄱ과 점 ㅁ	- 변 ㄱㄴ과 변 ㅁㅂ	- 각 ㄱㄴㄷ과 각 ㅁㅂㅅ
- 점 ㄴ과 점 ㅂ	- 변 ㄴㄷ과 변 ㅂㅅ	- 각 ㄴㄷㄹ과 각 ㅂㅅㅇ
- 점 ㄷ과 점 ㅅ	- 변 ㄷㄹ과 변 ㅅㅇ	- 각 ㄷㄹㄱ과 각 ㅅㅇㅁ
- 점 ㄹ과 점 ㅇ	- 변 ㄹㄱ과 변 ㅇㅁ	- 각 ㄹㄱㄴ과 각 ㅇㅁㅂ

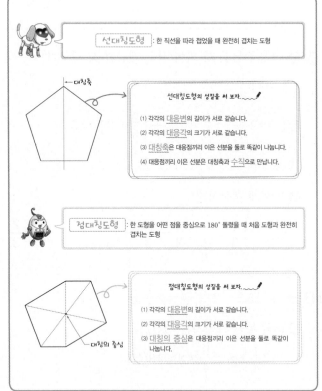

선대칭도형 : 한 직선을 따라 접었을 때 완전히 겹치는 도형

선대칭도형의 성질을 써 보자.
(1) 각각의 대응변의 길이가 서로 같습니다.
(2) 각각의 대응각의 크기가 서로 같습니다.
(3) 대칭축은 대응점끼리 이은 선분을 둘로 똑같이 나눕니다.
(4) 대응점끼리 이은 선분은 대칭축과 수직으로 만납니다.

점대칭도형 : 한 도형을 어떤 점을 중심으로 180° 돌렸을 때 처음 도형과 완전히 겹치는 도형

점대칭도형의 성질을 써 보자.
(1) 각각의 대응변의 길이가 서로 같습니다.
(2) 각각의 대응각의 크기가 서로 같습니다.
(3) 대칭의 중심은 대응점끼리 이은 선분을 둘로 똑같이 나눕니다.

26

58쪽

선행 문제 1

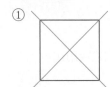
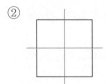

① ②

실행 문제 1

❶

❷ 2 　　　답 2개

쌍둥이 문제 1-1

❶ 대칭축 그리기

❷ 대칭축은 모두 4개 　　　답 4개

59쪽

선행 문제 2

70, 110, 90, 90

실행 문제 2

❶ 90
❷ 2, 25
❸ 65 　　　답 65°

쌍둥이 문제 2-1

❶ 전략 대응점끼리 이은 선분 ㄴㄹ은 대칭축과 수직으로 만난다.
(각 ㄱㄷㄴ)=90°

❷ 전략 각 ㄴㄱㄷ의 대응각: 각 ㄹㄱㄷ
(각 ㄴㄱㄷ)=80°÷2=40°

❸ 전략 180°-(각 ㄱㄷㄴ)-(각 ㄴㄱㄷ)
(각 ㄱㄴㄷ)=180°-90°-40°=50° 　　　답 50°

60쪽

선행 문제 3

5, 12 / 12, 24

실행 문제 3

❶ 4

❷ 4, 18

❸ 18, 36　　　　　　　　　　　답 **36 cm**

쌍둥이 문제 3-1

❶ (변 ㅂㅁ)=(변 ㄴㄷ)=10 cm

❷ (대칭축 오른쪽 변의 길이의 합)
　=5+10+13=28 (cm)

❸ (둘레)=28×2=56 (cm)　　답 **56 cm**

61쪽

선행 문제 4

①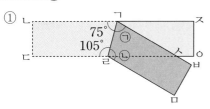

② ㄴㄱㄹ(또는 ㄹㄱㄴ), 75 /
　ㄱㄹㄷ(또는 ㄷㄹㄱ), 105

실행 문제 4

❶ ㄱㅅㅇㅈ

❷ 65

❸ 50　　　　　　　　　　　답 **50°**

쌍둥이 문제 4-1

❶ 사각형 ㄱㅈㅇㄹ과 합동인 사각형: 사각형 ㄱㄴㄷㄹ

❷ (각 ㄱㄹㅇ)=(각 ㄱㄹㄷ)=70°

❸ 전략 180°-(각 ㄱㄹㄷ)-(각 ㄱㄹㅇ)
　(각 ㅅㄹㅁ)=180°-70°-70°=40°　　답 **40°**

참고　한 직선이 이루는 각은 180°이므로
　(각 ㄱㄹㄷ)+(각 ㄱㄹㅇ)+(각 ㅅㄹㅁ)=180°이다.

62쪽

선행 문제 5

① 2, 8　　② 2, 14　　③ 2, 16

실행 문제 5

❶ 3, 8

❷ 8, 16　　　　　　　　　　답 **16 cm**

쌍둥이 문제 5-1

❶ (선분 ㄴㅈ)=(선분 ㄴㄷ)+(선분 ㄷㅈ)
　　　　　　=4+7=11 (cm)

❷ (선분 ㄴㅂ)=(선분 ㄴㅈ)×2
　　　　　　=11×2=22 (cm)

　　　　　　　　　　　　　답 **22 cm**

63쪽

실행 문제 6

❶ ㅁㄹㄷ

❷ 3

❸ 3, 8　　　　　　　　　　　답 **8 cm**

쌍둥이 문제 6-1

❶ 삼각형 ㄹㅁㅂ과 합동인 삼각형: 삼각형 ㄹㄷㄴ

❷ 전략 변 ㄹㅁ의 대응변: 변 ㄹㄷ
　(변 ㄹㅁ)=(변 ㄹㄷ)=12 cm

❸ (선분 ㄴㅁ)=(선분 ㄴㄹ)+(변 ㄹㅁ)
　　　　　　=13+12=25 (cm)

　　　　　　　　　　　　　답 **25 cm**

2 STEP 수학 사고력 키우기　64~69쪽

64쪽

대표 문제 1

해 ❶ 가　　　　나

　　　　　　　　　　답 **4개, 3개**

❷ 4-3=1(개)　　　　　　답 **1개**

쌍둥이 문제 1-1

❶ 가　　　　　나

대칭축 수 ➡ 가: 5개, 나: 4개

❷ 대칭축 수의 차: 5-4=1(개)　답 **1개**

65쪽

대표 문제 2

해 ❶ 답 $80°$

❷ (각 ㄴㄱㄷ)$=180°-80°-40°=60°$ 답 $60°$

❸ (각 ㄴㄱㄹ)$=60°+60°=120°$ 답 $120°$

쌍둥이 문제 2-1

❶ 전략 각 ㄴㄷㄹ의 대응각: 각 ㅂㅁㄹ

(각 ㄴㄷㄹ)$=$(각 ㅂㅁㄹ)$=110°$

❷ 전략 사각형 ㄱㄴㄷㄹ의 네 각의 크기의 합은 $360°$이다.

(각 ㄴㄱㄷ)$=360°-130°-110°-70°=50°$

❸ 전략 각 ㄴㄱㄹ의 대응각: 각 ㅂㄱㄹ

(각 ㄴㄱㅂ)$=50°+50°=100°$ 답 $100°$

66쪽

대표 문제 3

해 ❶ $66÷2=33$ (cm) 답 $33\,cm$

❷ 답 4, 8

❸ $33-9-4-8=12$ (cm) 답 $12\,cm$

쌍둥이 문제 3-1

어 ① (대칭축 왼쪽 변의 길이의 합)$=$(대칭축 오른쪽 변의 길이의 합)이므로 둘레를 반으로 나누어 대칭축 왼쪽 변의 길이의 합을 구하고,

② 대응변을 찾아 변 ㄴㄷ의 길이를 구하자.

❶ (대칭축 왼쪽 변의 길이의 합)

　$=$(둘레)$÷2=58÷2=29$ (cm)

❷ 전략 변 ㄱㄴ의 대응변: 변 ㄱㅇ, 변 ㄷㄹ의 대응변: 변 ㅅㅂ

(변 ㄱㄴ)$=7\,cm$, (변 ㄷㄹ)$=5\,cm$

❸ 전략 (대칭축 왼쪽 변의 길이의 합)

　　$-$(변 ㄱㄴ)$-$(변 ㄷㄹ)$-$(변 ㄹㅁ)

(변 ㄴㄷ)$=29-7-5-10=7$ (cm)

답 $7\,cm$

67쪽

대표 문제 4

주 35, 90　　ㄱㅂㄹ

해 ❶ (각 ㄱㅂㄹ)$=180°-35°-90°=55°$ 답 $55°$

❷ (각 ㅁㅂㄹ)$=$(각 ㄱㅂㄹ)$=55°$ 답 $55°$

❸ $180°-55°-55°=70°$ 답 $70°$

쌍둥이 문제 4-1

주 (각 ㄱㅂㄹ)$=70°$, (각 ㅂㅁㄹ)$=90°$

　•삼각형 ㅁㅂㄹ과 합동인 삼각형: 삼각형 ㄱㅂㄹ

❶ (각 ㄱㄹㅂ)$=180°-70°-90°=20°$

❷ (각 ㅁㄹㅂ)$=$(각 ㄱㄹㅂ)$=20°$

❸ 전략 (각 ㄱㄹㄷ)$=90°$

(각 ㄷㄹㅁ)$=90°-20°-20°=50°$ 답 $50°$

68쪽

대표 문제 5

주 6, 7, 14

해 ❶ $6×2=12$ (cm) 답 $12\,cm$

❷ 답 $7\,cm$

❸ $12+7=19$ (cm) 답 $19\,cm$

쌍둥이 문제 5-1

❶ 전략 (선분 ㄴㅁ)$=$(선분 ㅁㅅ)$×2$

(선분 ㄴㅁ)$=10×2=20$ (cm)

❷ 전략 변 ㄷㄴ의 대응변: 변 ㅂㅁ

(변 ㄷㄴ)$=$(변 ㅂㅁ)$=15\,cm$

❸ (선분 ㄷㅁ)$=15+20=35$ (cm) 답 $35\,cm$

69쪽

대표 문제 6

주 6, 10, 8

해 ❶ 답 ㅁㄹㅂ

❷ (변 ㄱㄴ)$=$(변 ㅁㄹ)$=8\,cm$ 답 $8\,cm$

❸ 변 ㄱㅂ의 대응변이 변 ㅁㅂ이므로

(변 ㄱㅂ)$=$(변 ㅁㅂ)$=6\,cm$이다.

➡ (선분 ㄱㄹ)$=$(변 ㄱㅂ)$+$(선분 ㅂㄹ)

　　　　　　$=6+10=16$ (cm) 답 $16\,cm$

❹ (넓이)$=$(변 ㄱㄴ)$×$(선분 ㄱㄹ)

　　　$=8×16=128$ (cm^2) 답 $128\,cm^2$

쌍둥이 문제 6-1

❶ 삼각형 ㄷㄹㅁ과 합동인 삼각형: 삼각형 ㄱㅂㅁ

❷ (변 ㄹㄷ)$=$(변 ㅂㄱ)$=8\,cm$

❸ (변 ㅁㄹ)$=$(변 ㅁㅂ)$=15\,cm$

➡ (선분 ㄱㄹ)$=17+15=32$ (cm)

❹ (넓이)$=8×32=256$ (cm^2) 답 $256\,cm^2$

3 STEP 수학 독해력 완성하기 70~73쪽

70쪽

독해 문제 1

구 선대칭도형도 되고 점대칭도형도 되는 것

주 5개의 도형

어 **1** 선대칭도형과 점대칭도형을 각각 모두 찾은 후,

2 위 **1**에서 공통으로 찾은 도형을 구하자.

해 **1**

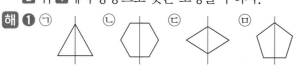

답 ㉠, ㉡, ㉢, ㉤

2

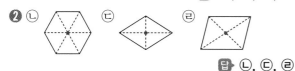

답 ㉡, ㉢, ㉣

3 답 ㉡, ㉢

독해 문제 2

구 각 ㄱㄹㄷ의 크기

주 •점 ㅇ을 대칭의 중심으로 하는 점대칭도형

•(각 ㅁㅂㄱ)=125°, (각 ㄱㄹㅁ)=50°,
(각 ㄱㄴㄷ)=140°

어 **1** 각 ㄹㄱㄴ과 각 ㄴㄷㄹ의 대응각을 각각 찾아 각도를 구하고,

2 사각형의 네 각의 크기의 합이 360°임을 이용해 각 ㄱㄹㄷ의 크기를 구하자.

해 **1** (각 ㄹㄱㄴ)=(각 ㄱㄹㅁ)=50°,
(각 ㄴㄷㄹ)=(각 ㅁㅂㄱ)=125° 답 50, 125

2 사각형 ㄱㄴㄷㄹ의 네 각의 크기의 합이 360°이므로

(각 ㄱㄹㄷ)
=360°−(각 ㄹㄱㄴ)−(각 ㄱㄴㄷ)−(각 ㄴㄷㄹ)
=360°−50°−140°−125°=45° 답 45°

독해 문제 2-1 **정답에서 제공하는 쌍둥이 문제**

오른쪽은 점 ㅇ을 대칭의 중심으로 하는 점대칭도형입니다./
각 ㄱㄹㄷ은 몇 도인가요?

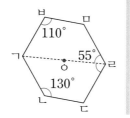

구 각 ㄱㄹㄷ의 크기

주 •점 ㅇ을 대칭의 중심으로 하는 점대칭도형

•(각 ㅁㅂㄱ)=110°, (각 ㄱㄹㅁ)=55°,
(각 ㄱㄴㄷ)=130°

어 **1** 각 ㄹㄱㄴ과 각 ㄴㄷㄹ의 대응각을 각각 찾아 각도를 구하고,

2 사각형의 네 각의 크기의 합이 360°임을 이용해 각 ㄱㄹㄷ의 크기를 구하자.

해 **1** (각 ㄹㄱㄴ)=(각 ㄱㄹㅁ)=55°,
(각 ㄴㄷㄹ)=(각 ㅁㅂㄱ)=110°

2 사각형 ㄱㄴㄷㄹ의 네 각의 크기의 합이 360°이므로

(각 ㄱㄹㄷ)=360°−(각 ㄹㄱㄴ)
−(각 ㄱㄴㄷ)−(각 ㄴㄷㄹ)
=360°−55°−130°−110°
=65°

답 65°

71쪽

독해 문제 3

구 삼각형 ㄱㄴㄷ의 넓이

주 •직선 가 위에 있는 서로 합동인 삼각형 ㄱㄴㄷ과 삼각형 ㄷㄹㅁ

•(선분 ㄴㄹ)=24 cm, (변 ㄹㅁ)=8 cm

어 **1** 삼각형 ㄱㄴㄷ과 삼각형 ㄷㄹㅁ이 서로 합동이므로 변 ㄴㄷ과 변 ㄱㄴ의 대응변을 각각 찾아 길이를 구하고,

2 위 **1**에서 구한 길이를 이용하여 삼각형 ㄱㄴㄷ의 넓이를 구하자.

해 **1** (변 ㄴㄷ)=(변 ㄹㅁ)
=8 cm 답 8 cm

2 (변 ㄱㄴ)=(변 ㄷㄹ)
=(선분 ㄴㄹ)−(변 ㄴㄷ)
=24−8
=16 (cm) 답 16 cm

3 (넓이)=(변 ㄴㄷ)×(변 ㄱㄴ)÷2
=8×16÷2
=128÷2
=64 (cm²)

답 64 cm²

독해 문제 3-1　　　　정답에서 제공하는 **쌍둥이 문제**

직선 가 위에 서로 합동인
삼각형 ㄱㄴㄷ과 삼각형 ㄷㄹㅁ이 있습니다. /
삼각형 ㄱㄴㄷ의 넓이는 몇 cm²인가요?

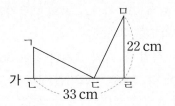

어 **1** 삼각형 ㄱㄴㄷ과 삼각형 ㄷㄹㅁ이 서로 합동
　　이므로 변 ㄴㄷ과 변 ㄱㄴ의 대응변을 각각
　　찾아 길이를 구하고,
　2 위 **1**에서 구한 길이를 이용하여 삼각형 ㄱㄴㄷ
　　의 넓이를 구하자.

해 **1** (변 ㄴㄷ)=(변 ㄹㅁ)=22 cm
　2 (변 ㄱㄴ)=(변 ㄷㄹ)
　　　　　=(선분 ㄴㄹ)-(변 ㄴㄷ)
　　　　　=33-22=11 (cm)
　3 (넓이)=(변 ㄴㄷ)×(변 ㄱㄴ)÷2
　　　　　=22×11÷2=242÷2
　　　　　=121 (cm²)

답 **121 cm²**

독해 문제 4

어 **1** 삼각형 ㄱㄹㅁ에서 두 각의 크기가 주어져 있으
　　므로 각 ㄱㄹㅁ의 크기를 구하고,
　2 삼각형 ㄱㄹㅁ과 삼각형 ㄷㅂㅁ이 서로 합동이므
　　로 각 ㄱㄹㅁ의 대응각인 각 ㄷㅂㅁ의 크기를 구
　　한 후,
　3 사각형 ㄴㄹㅁㅂ에서 위 **1**과 **2**에서 구한 두 각
　　의 크기를 이용하여 각 ㄹㄴㅂ의 크기를 구하자.

해 **1** 삼각형 ㄱㄹㅁ의 세 각의 크기의 합이 180°이므
　　로 (각 ㄱㄹㅁ)=180°-25°-90°=65°이다.

답 **65°**

　2 각 ㄷㅂㅁ의 대응각이 각 ㄱㄹㅁ이므로
　　(각 ㄷㅂㅁ)=(각 ㄱㄹㅁ)=65°이다.

답 **65°**

　3 사각형 ㄴㄹㅁㅂ의 네 각의 크기의 합이 360°이므
　　로 (각 ㄹㄴㅂ)=360°-65°-90°-65°=140°
　　이다.

답 **140°**

독해 문제 4-1　　　　정답에서 제공하는 **쌍둥이 문제**

오른쪽 삼각형 ㄱㄹㅁ과 삼각
형 ㄷㅂㅁ은 서로 합동입니다. /
각 ㄹㄴㅂ은 몇 도인가요?

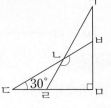

구 각 ㄹㄴㅂ의 크기
주 •서로 합동인 삼각형 ㄱㄹㅁ과 삼각형 ㄷㅂㅁ
　•(각 ㅂㄷㅁ)=30°, (각 ㄷㅁㅂ)=90°

해 **1** 삼각형 ㄷㅂㅁ의 세 각의 크기의 합이 180°
　　이므로
　　(각 ㄷㅂㅁ)=180°-30°-90°=60°이다.
　2 각 ㄱㄹㅁ의 대응각이 각 ㄷㅂㅁ이므로
　　(각 ㄱㄹㅁ)=(각 ㄷㅂㅁ)=60°이다.
　3 사각형 ㄴㄹㅁㅂ의 네 각의 크기의 합이
　　360°이므로
　　(각 ㄹㄴㅂ)=360°-60°-90°-60°
　　　　　　　=150°

답 **150°**

72쪽

독해 문제 5

주 •12
　•112

해 **1** 112÷2=56 (cm)

답 **56 cm**

참고　점대칭도형은 한 도형을 어떤 점을 중심으로 180° 돌렸
　　을 때 처음 도형과 완전히 겹치는 도형이므로 대응변의
　　길이가 서로 같다.

　2 (변 ㄷㄹ)=(빨간색 선의 길이의 합)-(변 ㄷㄴ)
　　　　　　　-(변 ㄴㄱ)-(변 ㄱㅇ)
　　　　　　　=56-10-18-20=8 (cm)

答 **8 cm**

　3 (선분 ㄷㅈ)=(변 ㄷㄹ)+(선분 ㄹㅈ)
　　　　　　　=8+12=20 (cm)

答 **20 cm**

　4 (선분 ㄷㅅ)=(선분 ㄷㅈ)×2
　　　　　　　=20×2=40 (cm)

答 **40 cm**

독해 문제 5-1 정답에서 제공하는 **쌍둥이 문제**

점 ㅈ을 대칭의 중심으로 하는 점대칭도형입니다./
둘레가 102 cm일 때,/
선분 ㄷㅅ은 몇 cm인가요?

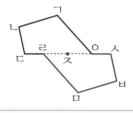

어

> (빨간색 선의 길이의 합)
> =(파란색 선의 길이의 합)

해 ❶ (빨간색 선의 길이의 합)
　=(둘레)÷2=102÷2=51 (cm)
❷ (변 ㅇㅅ)=(빨간색 선의 길이의 합)
　　　　－(변 ㄹㅁ)－(변 ㅁㅂ)－(변 ㅂㅅ)
　　=51－19－15－10=7 (cm)
❸ (선분 ㅈㅅ)=(선분 ㅈㅇ)+(변 ㅇㅅ)
　　　　=9+7=16 (cm)
❹ (선분 ㄷㅅ)=(선분 ㅈㅅ)×2
　　　　=16×2=32 (cm)

답 32 cm

73쪽

독해 문제 6

주 •5, 12　•216
해 ❶ **답** ㅁㄹㄷ
❷ (변 ㄱㄴ)=(변 ㅁㄹ)=12 cm,
　(변 ㄴㄷ)=(변 ㄹㄷ)=5 cm
답 12, 5
❸ (선분 ㄴㅁ)=216÷12=18 (cm)
답 18 cm
❹ (선분 ㄷㅁ)=(선분 ㄴㅁ)-(변 ㄴㄷ)
　　　　=18－5=13 (cm)　**답** 13 cm

독해 문제 6-1 정답에서 제공하는 **쌍둥이 문제**

직사각형 모양의 종이를 오른쪽과 같이 접었습니다./
직사각형 ㄱㄴㅁㅂ의 넓이가 288 cm²일 때,/
선분 ㄷㅁ은 몇 cm인가요?

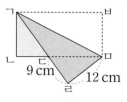

해 ❶ 삼각형 ㄱㄴㄷ과 합동인 삼각형: 삼각형 ㅁㄹㄷ
❷ (변 ㄱㄴ)=(변 ㅁㄹ)=12 cm
　(변 ㄴㄷ)=(변 ㄹㄷ)=9 cm
❸ (선분 ㄴㅁ)=(직사각형 ㄱㄴㅁㅂ의 넓이)
　　　　　　　÷(변 ㄱㄴ)
　　　=288÷12=24 (cm)
❹ (선분 ㄷㅁ)=(선분 ㄴㅁ)-(변 ㄴㄷ)
　　　　=24－9=15 (cm)

답 15 cm

---

4 STEP 창의 융합 코딩 **체험**하기 **74~77쪽**

74쪽

융합 ①

모양과 크기가 같아서 포개었을 때 완전히 겹치는 모양의 기와를 찾으면 나이다. **답** 나

융합 ②  **답** ㄴ

융합 ③ **답** ㅈ

75쪽

창의 ④

각 도형을 똑같은 모양 2개로 나누는 선을 그린다.

답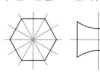

31

창의 5

(1) 점대칭이 되어야 하므로 2를 백, 십의 자리에, 8을 천, 일의 자리에 쓰거나 2를 천, 일의 자리에, 8을 백, 십의 자리에 써야 한다.

→ `8228`, `2882` 답 8228, 2882

(2) 답 8228

76쪽

코딩 6

선대칭도형도 아니고 점대칭도형도 아니므로 파란색 출력

답

코딩 7

선대칭도형이고 점대칭도형은 아니므로 노란색 출력

답

코딩 8

선대칭도형이고 점대칭도형은 아니므로 노란색 출력

답

코딩 9

선대칭도형이고 점대칭도형이므로 빨간색 출력

답

77쪽

코딩 10

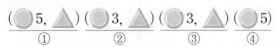

→ ① 앞으로 5칸 이동 후 오른쪽으로 직각만큼 돌기
② 앞으로 3칸 이동 후 오른쪽으로 직각만큼 돌기
③ 앞으로 3칸 이동 후 오른쪽으로 직각만큼 돌기
④ 앞으로 5칸 이동하기

답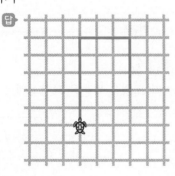

코딩 11

똑같은 모양 2개로 나누는 선을 그린다.

답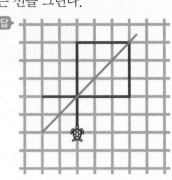

종합평가 실전 마무리 하기 78~81쪽

78쪽

1 ① 가   나

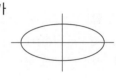

대칭축 수 → 가: 2개, 나: 4개

② 대칭축 수의 차: $4-2=2$(개)   답 2개

2 ① (각 ㄱㄷㄷ)=(각 ㄱㄴㄷ)=$25°$
② (각 ㄱㄷㄹ)=$180°-125°-25°=30°$
③ (각 ㄴㄷㄹ)=$30°+30°=60°$ 답 60°

3 ① (대칭축 왼쪽 변의 길이의 합)=$86÷2=43$(cm)
② (변 ㄷㄹ)=(변 ㅅㅂ)=9 cm,
(변 ㄹㅁ)=(변 ㅂㅁ)=7 cm
③ (변 ㄴㄷ)=$43-15-9-7=12$(cm)

답 12 cm

79쪽

4 ① (각 ㄱㅂㄹ)=$180°-25°-90°=65°$
② (각 ㅁㅂㄹ)=(각 ㄱㅂㄹ)=$65°$
③ (각 ㄴㅂㅁ)=$180°-65°-65°=50°$ 답 50°

5 ① (선분 ㄹㅈ)=$4×2=8$(cm)
② (변 ㅁㄹ)=(변 ㅊㅈ)=5 cm
③ (선분 ㅁㅈ)=$5+8=13$(cm)   답 13 cm

정답과 풀이

6 ❶ (각 ㄱㄴㄷ)=(각 ㄹㅁㅂ)=90°,
　　(각 ㄴㄷㄹ)=(각 ㅁㅂㄱ)=160°
　❷ (각 ㄴㄱㄹ)=360°−(각 ㄱㄴㄷ)−(각 ㄴㄷㄹ)
　　　　　　　　　−(각 ㄷㄹㄱ)
　　　　　　　=360°−90°−160°−60°=50°

　　　　　　　　　　　　　　　　답 **50°**

80쪽

7 ❶ (변 ㄷㄹ)=(변 ㄷㄱ)=5 cm
　❷ (변 ㅁㄷ)=(변 ㄴㄷ)=17−5=12 (cm)
　❸ (넓이)=5×12÷2=60÷2=30 (cm²)

　　　　　　　　　　　　　　답 **30 cm²**

8 ❶ 삼각형 ㄱㄴㄷ과 합동인 삼각형: 삼각형 ㅁㄹㄷ
　❷ (변 ㄱㄴ)=(변 ㅁㄹ)=12 cm
　❸ (변 ㄴㄷ)=(변 ㄹㄷ)=9 cm
　　➜ (선분 ㄴㅁ)=9+15=24 (cm)
　❹ (넓이)=12×24=288 (cm²)　　답 **288 cm²**

참고　❸ (선분 ㄴㅁ)=(변 ㄴㄷ)+(선분 ㄷㅁ)
　　　❹ (넓이)=(변 ㄱㄴ)×(선분 ㄴㅁ)

81쪽

9 ❶ (각 ㄱㄹㅁ)=180°−37°−90°=53°
　❷ (각 ㄷㅂㅁ)=(각 ㄱㄹㅁ)=53°
　❸ (각 ㄹㄴㅂ)=360°−53°−90°−53°=164°

　　　　　　　　　　　　　답 **164°**

참고　❶ 삼각형 ㄱㄹㅁ의 세 각의 크기의 합은 180°이다.
　　　❷ 각 ㄷㅂㅁ의 대응각: 각 ㄱㄹㅁ
　　　❸ 사각형 ㄴㄹㅁㅂ의 네 각의 크기의 합은 360°이다.

10 ❶ (빨간색 선의 길이의 합)=116÷2=58 (cm)
　❷ (변 ㄱㄴ)=58−25−10−15=8 (cm)
　❸ (선분 ㄱㅈ)=(변 ㄱㄴ)+(선분 ㄴㅈ)
　　　　　　　=8+12=20 (cm)
　❹ (선분 ㄱㅁ)=(선분 ㄱㅈ)×2
　　　　　　　=20×2=40 (cm)　　답 **40 cm**

참고　❶ 점대칭도형이므로 빨간색 선의 길이의 합은 점대칭
　　　도형의 둘레의 반이다.
　　　❷ (변 ㄱㄴ)=(빨간색 선의 길이의 합)−(변 ㄱㅇ)
　　　　　　　　　−(변 ㅇㅅ)−(변 ㅅㅂ)

---

4 소수의 곱셈

 한 이야기　　　　　　82~83쪽

6.5×1.2=7.8, 7.8 m /
7.8×4=31.2, 31.2 m²

1 STEP　문제 **해결력** 기르기　　84~89쪽

84쪽

선행 문제 ❶

⑴ 8, 8
⑵ 6, 7, 6

실행 문제 ❶

❶ 5.04

참고　소수 한 자리 수는 분모가 10인 분수로,
　　　소수 두 자리 수는 분모가 100인 분수로 나타내어 계산
　　　한다.
　　　$3.15×1.6=\dfrac{315}{100}×\dfrac{16}{10}=\dfrac{5040}{1000}=5.04$

❷ 5.04
❸ 5　　　　　　　　　　　　　　　답 **5**

쌍둥이 문제 ❶-1

❶ 1.24×7.5=9.3

참고　124×75=9300이므로 1.24×7.5=9.3000이다. 소수점
　　　아래 끝자리 숫자 0을 생략하여 나타내면 9.30이다.

❷ 전략 ●는 ❶에서 구한 수보다 큰 수이다.
　　문제의 식을 간단히 나타내기: 9.3<●
❸ ●에 알맞은 자연수 중 가장 작은 수: 10　　답 **10**

85쪽

선행 문제 ❷

⑴ 42, 7, 0.7
⑵ 45, 3, 75, 1.75

실행 문제 ❷

❶ 30, 5, 1.5
❷ 1.5, 7.5　　　　　　　　　　　　답 **7.5시간**

쌍둥이 문제 2-1

❶ 전략 주어진 시간을 소수로 나타내자.

$$1시간\ 12분 = 1시간 + \frac{12}{60}시간$$

$$= 1시간 + \frac{2}{10}시간$$

$$= 1.2시간$$

참고
1시간=60분이므로 ■시간 ●분=■$\frac{●}{60}$시간이다.

❷ (6일 동안 독서를 한 시간)
$$= 1.2 \times 6 = 7.2(시간)$$
답 7.2시간

86쪽

선행 문제 3

(1) 5, 1.3

(2) 0.6, 0.9

실행 문제 3

❶ 22, 0.15

❷ 0.15, 22, 3.3 / 3.3

❸ 3.3, 72.6
답 72.6

쌍둥이 문제 3-1

❶ 어떤 수를 □라 하여 잘못 계산한 식 세우기:

□÷15=0.18

❷ 전략 ❶의 식을 곱셈식으로 나타내어 □의 값을 구하자.

□=0.18×15=2.7

➡ (어떤 수)=2.7

❸ 전략 (어떤 수)×15

바르게 계산한 값: 2.7×15=40.5
답 40.5

87쪽

선행 문제 4

(1) 6, 4, 24

(2) 6, 5, 30

실행 문제 4

❶ 7, 1.4, 9.8

❷ 9.8, 49

참고 (직사각형의 넓이)=(가로)×(세로)

답 49 m²

쌍둥이 문제 4-1

❶ 전략 텃밭의 세로를 1.8배 하자.

(새로운 꽃밭의 세로)=4×1.8=7.2 (m)

❷ 전략 (가로)×(세로)

(새로운 꽃밭의 넓이)=4×7.2=28.8 (m²)
답 28.8 m²

88쪽

실행 문제 5

❶ 7, 5 (또는 5, 7)

❷ 7.1×5.3=37.63 (또는 5.3×7.1=37.63)
답 37.63

89쪽

선행 문제 6

3 / 3, 2 / 2, 6

실행 문제 6

❶ 8.6, 25.8

❷ 1.6

❸ 25.8, 1.6, 24.2
답 24.2 cm

쌍둥이 문제 6-1

❶ (색 테이프 3장의 길이의 합)
$$= 9.5 \times 3 = 28.5 \text{ (cm)}$$

❷ 전략 (겹친 부분의 길이)×(겹친 부분의 수)

(겹친 부분 2군데의 길이의 합)
$$= 1.3 \times 2 = 2.6 \text{ (cm)}$$

❸ 전략 (색 테이프 3장의 길이의 합)−(겹친 부분 2군데의 길이의 합)

(이어 붙인 색 테이프의 전체 길이)
$$= 28.5 - 2.6 = 25.9 \text{ (cm)}$$
답 25.9 cm

2 STEP 수학 사고력 키우기   90~95쪽

90쪽

대표 문제 1

해 ❶ 답 5.46

❷ 답 5.46

❸ 5.46<●<8에서 ●에 알맞은 자연수는 6과 7 이므로 모두 2개이다.
답 2개

쌍둥이 문제 1-1

[구] ●에 알맞은 자연수의 개수

[어] ① 0.42×35를 계산하고

② 식을 간단히 나타낸 다음 ●에 알맞은 자연수를 모두 구하자.

❶ 0.42×35=14.7

❷ [전략] ●는 12보다 크고 ❶에서 구한 값보다 작다.

문제의 식을 간단히 나타내기: 12<●<14.7

❸ ●에 알맞은 자연수: 13, 14 ➡ 2개 [답] 2개

91쪽

대표 문제 2

[구] 2, 15

[주] 9 / 2, 15

[해] ❶ 2시간 15분=2시간+$\frac{15}{60}$시간

=2시간+$\frac{1}{4}$시간

=2시간+$\frac{25}{100}$시간

=2.25시간 [답] 2.25시간

❷ 9×2.25=20.25 (km) [답] 20.25 km

쌍둥이 문제 2-1

[구] 자동차가 2시간 24분 동안 갈 수 있는 거리

[주] •자동차가 한 시간 동안 갈 수 있는 거리: 62 km

•자동차가 움직인 시간: 2시간 24분

❶ [전략] 1분=$\frac{1}{60}$시간임을 이용하자.

2시간 24분=2시간+$\frac{24}{60}$시간

=2시간+$\frac{4}{10}$시간

=2.4시간

❷ (2시간 24분 동안 갈 수 있는 거리)

=62×2.4=148.8 (km) [답] 148.8 km

92쪽

대표 문제 3

[해] ❶ [식] □+2.5=9.1

❷ □=9.1-2.5=6.6

➡ (어떤 수)=6.6 [답] 6.6

❸ 6.6×2.5=16.5 [답] 16.5

쌍둥이 문제 3-1

[구] 바르게 계산한 값

[어] ① 어떤 수를 □라 하여 잘못 계산한 뺄셈식을 세우고

② 덧셈과 뺄셈의 관계를 이용하여 어떤 수를 구한 다음,

③ 어떤 수를 이용하여 바르게 계산한 값을 구하자.

❶ 어떤 수를 □라 하여 잘못 계산한 식 세우기:

□-1.5=9.64

❷ [전략] ❶의 식을 덧셈식으로 나타내어 □의 값을 구하자.

어떤 수 구하기: □=9.64+1.5=11.14

➡ (어떤 수)=11.14

❸ [전략] ❷에서 구한 값에 1.5를 곱하자.

바르게 계산한 값: 11.14×1.5=16.71

[답] 16.71

93쪽

대표 문제 4

[주] 5.8, 3.6

[해] ❶ 5.8×1.5=8.7 (m) [답] 8.7 m

❷ 3.6×1.5=5.4 (m) [답] 5.4 m

❸ 8.7×5.4=46.98 (m²) [답] 46.98 m²

쌍둥이 문제 4-1

[구] 새로운 게시판의 넓이

[주] •게시판의 가로: 3.5 m

•게시판의 세로: 1.5 m

❶ (새로운 게시판의 가로)=3.5×1.4=4.9 (m)

❷ (새로운 게시판의 세로)=1.5×1.2=1.8 (m)

❸ [전략] (새로운 게시판의 가로)×(새로운 게시판의 세로)

(새로운 게시판의 넓이)=4.9×1.8=8.82 (m²)

[답] 8.82 m²

94쪽

대표 문제 5

[해] ❶ 8>6>5>3>1 [답] 8, 6, 5, 3

❷ [답] 8, 6

❸ [식] 8.3×6.5=53.95 (또는 6.5×8.3=53.95)

쌍둥이 문제 | 5-1

구 곱이 가장 작게 되는
(소수 한 자리 수)×(소수 한 자리 수)

어 **1** 수의 크기를 비교하여 사용할 수 카드 4장을 고르고
2 두 소수의 자연수 부분에 놓을 두 수를 찾은 다음
3 나머지 수를 소수 부분에 써넣어 곱이 가장 작게
되는 곱셈식을 만들고 계산하자.

❶ 수 카드의 수가 작은 수부터 4장을 골라 순서대로 쓰
기: 1 , 2 , 4 , 7

❷ 전략 곱하는 두 소수의 자연수 부분이 작을수록 곱이 작아
지므로 가장 작은 수와 두 번째로 작은 수를 놓자.
두 소수의 자연수 부분에 놓을 두 수: 1, 2

❸ 곱이 가장 작게 되는 곱셈식을 만들고 계산하기 :
$1.4 × 2.7 = 3.78$ 또는 $2.7 × 1.4 = 3.78$

식 $1.4 × 2.7 = 3.78$ (또는 $2.7 × 1.4 = 3.78$)

95쪽

대표 문제 | 6

주 0.15, 30, 0.06

해 **❶** $0.15 × 30 = 4.5$ (m) **답** 4.5 m

❷ 색 테이프 30장을 이어 붙일 때 겹친 부분은
$30 - 1 = 29$(군데)이므로
$0.06 × 29 = 1.74$ (m)이다. **답** 1.74 m

❸ $4.5 - 1.74 = 2.76$ (m) **답** 2.76 m

쌍둥이 문제 | 6-1

구 이어 붙인 색 테이프의 전체 길이

주 • 색 테이프 한 장의 길이: 10.5 cm
• 색 테이프의 수: 12장
• 겹친 부분의 길이: 3.4 cm

❶ (색 테이프 12장의 길이의 합)
$= 10.5 × 12 = 126$ (cm)

❷ 전략 겹친 부분의 수는 색 테이프의 수보다 1 작다.
(겹친 부분의 수)$= 12 - 1 = 11$(군데)
(겹친 부분의 길이의 합)$= 3.4 × 11 = 37.4$ (cm)

❸ 전략 (색 테이프 12장의 길이의 합)−(겹친 부분의 길이의 합)
(이어 붙인 색 테이프의 전체 길이)
$= 126 - 37.4 = 88.6$ (cm) **답** 88.6 cm

---

3 STEP 수학 독해력 완성하기 96~99쪽

96쪽

독해 문제 | 1

구 어제와 오늘 사용한 식용유의 양

어 **1** 오늘 사용한 식용유의 양을 구하고
2 어제 사용한 식용유의 양과 **1**에서 구한 양을 더
하자.

해 **❶** $0.58 × 0.6 = 0.348$ (L) **답** 0.348 L
❷ $0.58 + 0.348 = 0.928$ (L) **답** 0.928 L

독해 문제 | 1-1 정답에서 제공하는 **쌍둥이 문제**

어느 식당에서 식초를 어제는 1.2 L 사용했고,/
오늘은 어제 사용한 식초의 0.4만큼 사용했습니다./
이 식당에서 어제와 오늘 사용한 식초는 모두 몇 L
인지 구하세요.

구 어제와 오늘 사용한 식초의 양

어 **1** 오늘 사용한 식초의 양을 구하고
2 어제 사용한 식초의 양과 **1**에서 구한 양을
더하자.

해 **❶** (오늘 사용한 식초의 양)
$= 1.2 × 0.4$
$= 0.48$ (L)

❷ (어제와 오늘 사용한 식초의 양)
$= 1.2 + 0.48$
$= 1.68$ (L)

답 1.68 L

독해 문제 | 2

구 벽에 타일을 붙인 부분의 넓이

주 • 타일의 가로: 4.5 cm
• 타일의 세로: 19.5 cm
• 이어 붙인 타일의 수: 6장

어 **1** 타일의 한 장의 넓이를 구하고
2 **1**에서 구한 넓이와 타일 수를 곱하여 벽에 타일
을 붙인 부분의 넓이를 구하자.

해 **❶** $4.5 × 19.5 = 87.75$ (cm²) **답** 87.75 cm²
❷ $87.75 × 6 = 526.5$ (cm²) **답** 526.5 cm²

독해 문제 2-1 　정답에서 제공하는 쌍둥이 문제

가로가 2.2 cm, 세로가 7.3 cm인 직사각형 모양의 타일을/ 벽에 겹치지 않게 10장 이어 붙였습니다./ 벽에 타일을 붙인 부분의 넓이는 몇 cm²인지 구하세요.

구 벽에 타일을 붙인 부분의 넓이
주 •타일의 가로: 2.2 cm
　•타일의 세로: 7.3 cm
　•이어 붙인 타일의 수: 10장
어 1 타일의 한 장의 넓이를 구하고
　2 1에서 구한 넓이와 타일 수를 곱하여 벽에 타일을 붙인 부분의 넓이를 구하자.
해 1 (타일 한 장의 넓이)$=2.2 \times 7.3$
　　　　　　　$=16.06 \,(\text{cm}^2)$
　2 (벽에 타일을 붙인 부분의 넓이)
　　$=16.06 \times 10 = 160.6 \,(\text{cm}^2)$
답 160.6 cm²

참고
• (소수)×(소수)의 계산
예 $22 \times 73 = 1606$
　$\frac{1}{10}$배　$\frac{1}{10}$배　$\frac{1}{100}$배
　$2.2 \times 7.3 = 16.06$
곱하는 두 수가 각각 $\frac{1}{10}$배가 되면 계산 결과는 $\frac{1}{100}$배가 된다.

97쪽

독해 문제 3

구 종이의 넓이
주 •종이의 가로: 11.8 cm
　•종이의 둘레: 50 cm
어 1 종이의 둘레와 가로를 이용하여 세로를 구하고
　2 가로와 1에서 구한 길이를 곱하여 종이의 넓이를 구하자.
해 1 $50 \div 2 = 25 \,(\text{cm})$　답 25 cm

참고 (직사각형의 둘레)=((가로)+(세로))×2
→ (가로)+(세로)=(직사각형의 둘레)÷2

　2 $25 - 11.8 = 13.2 \,(\text{cm})$　답 13.2 cm
　3 $11.8 \times 13.2 = 155.76 \,(\text{cm}^2)$　답 155.76 cm²

독해 문제 3-1 　정답에서 제공하는 쌍둥이 문제

세로가 8.4 cm이고/ 둘레가 40 cm인 직사각형 모양의 종이가 있습니다./ 이 종이의 넓이는 몇 cm²인지 구하세요.

구 종이의 넓이
주 •종이의 세로: 8.4 cm
　•종이의 둘레: 40 cm
어 1 종이의 둘레와 세로를 이용하여 가로를 구하고
　2 1에서 구한 길이와 세로를 곱하여 종이의 넓이를 구하자.
해 1 (종이의 가로와 세로의 합)
　　$=40 \div 2 = 20 \,(\text{cm})$
　2 (종이의 가로)$=20 - 8.4 = 11.6 \,(\text{cm})$
　3 (종이의 넓이)$=11.6 \times 8.4 = 97.44 \,(\text{cm}^2)$
답 97.44 cm²

독해 문제 4

구 공이 땅에 두 번 닿았다가 튀어 오르는 높이
어 1 공이 떨어진 높이에 0.7을 곱하고
　2 1에서 구한 높이에 0.7을 곱하자.
해 1 $4 \times 0.7 = 2.8 \,(\text{m})$　답 2.8 m
　2 $2.8 \times 0.7 = 1.96 \,(\text{m})$　답 1.96 m

독해 문제 4-1 　정답에서 제공하는 쌍둥이 문제

떨어진 높이의 0.3만큼 튀어 오르는 공이 있습니다./ 이 공을 5 m 높이에서 떨어뜨렸습니다./ 공이 땅에 두 번 닿았다가 튀어 올랐을 때의 높이는 몇 m인지 구하세요.

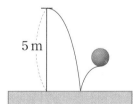

어 1 공이 떨어진 높이에 0.3을 곱하고
　2 1에서 구한 높이에 0.3을 곱하자.
해 1 $5 \times 0.3 = 1.5 \,(\text{m})$
　2 $1.5 \times 0.3 = 0.45 \,(\text{m})$　답 0.45 m

정답과 풀이

98쪽

독해 문제 5

구 5

주 3, 12 / 5

해 ❶ 3분 12초 $=3$분 $+\dfrac{12}{60}$분 $=3$분 $+\dfrac{2}{10}$분 $=3.2$분

답 3.2분

❷ (자르는 횟수)$=$(도막 수)-1

$=5-1$

$=4$(번)

답 4번

❸ (한 번 자르는 데 걸리는 시간)$\times$(자르는 횟수)

$=3.2\times4$

$=12.8$(분)

답 12.8분

독해 문제 5-1   정답에서 제공하는 **쌍둥이 문제**

굵기가 일정한 철근을 한 번 자르는 데/ 4분 15초가 걸립니다./
이 철근을 쉬지 않고 6도막으로 자르는 데/ 몇 분이 걸리는지 소수로 나타내세요.

구 철근을 쉬지 않고 6도막으로 자르는 데 걸리는 시간

주 • 철근을 한 번 자르는 데 걸리는 시간: 4분 15초
• 철근을 자르려는 도막 수: 6도막

어 ❶ 4분 15초는 몇 분인지 소수로 나타내고

❷ 자르는 횟수는 도막의 수보다 1 작음을 이용하여 6도막으로 자르려면 몇 번 잘라야 하는지 구한 다음,

❸ 6도막으로 자르는 데 걸리는 시간을 소수로 나타내자.

해 ❶ 4분 15초 $=4$분 $+\dfrac{15}{60}$분 $=4$분 $+\dfrac{1}{4}$분

$=4$분 $+\dfrac{25}{100}$분 $=4$분 $+0.25$분

$=4.25$분

❷ (6도막으로 자르는 횟수)

$=6-1$

$=5$(번)

❸ (6도막으로 자르는 데 걸리는 시간)

$=4.25\times5$

$=21.25$(분)

답 21.25분

99쪽

독해 문제 6

구 한

주 10, 0.08, 4.78

해 ❶ 색 테이프 10장을 이어 붙일 때 겹친 부분은 9군데이므로 $0.08\times9=0.72$ (m)이다.

답 0.72 m

❷ $4.78+0.72=5.5$ (m)

답 5.5 m

❸ 색 테이프 한 장의 길이를 □ m라 하면
□ $\times10=5.5$, □ $=0.55$이다.

참고 □에서 소수점을 오른쪽으로 한 칸 옮겨서 5.5가 되었으므로 □ $=0.55$이다.

답 0.55 m

독해 문제 6-1   정답에서 제공하는 **쌍둥이 문제**

길이가 같은 색 테이프 10장을/
그림과 같이 0.07 m씩 겹치게 이어 붙였더니/
이어 붙인 색 테이프의 전체 길이가 3.47 m가 되었습니다./
색 테이프 한 장의 길이는 몇 m인지 구하세요.

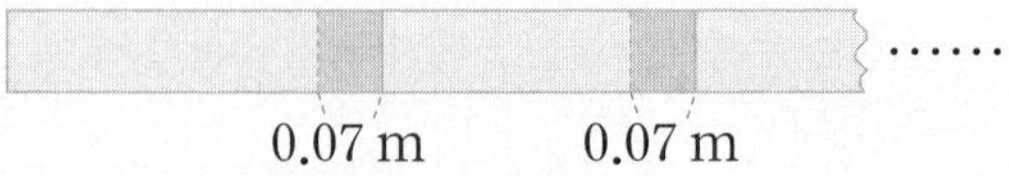

0.07 m   0.07 m

구 색 테이프 한 장의 길이

주 • 색 테이프의 수: 10장
• 겹친 부분의 길이: 0.07 m
• 이어 붙인 색 테이프 전체의 길이: 3.47 m

어 (색 테이프 10장의 길이의 합)

=(이어 붙인 색 테이프의 전체 길이)

+(겹친 부분의 길이의 합)

=(색 테이프 한 장의 길이)$\times10$

해 ❶ (겹친 부분의 길이의 합)

$=0.07\times9=0.63$ (m)

❷ (색 테이프 10장의 길이의 합)

$=3.47+0.63=4.1$ (m)

❸ 색 테이프 한 장의 길이를 □ m라 하면
□ $\times10=4.1$, □ $=0.41$이다.

답 0.41 m

STEP 4 창의 융합 코딩 체험하기 [100~103쪽]

100쪽

창의 ①

$32 \times 2.54 = 81.28$ (cm)

답 **81.28 cm**

융합 ②

$36.18 \times 150 = 5427$(원)

답 **5427**

101쪽

융합 ③

(노란색 정사각형의 넓이) $= 5.2 \times 5.2 = 27.04$ (cm²)

답 **27.04 cm²**

코딩 ④

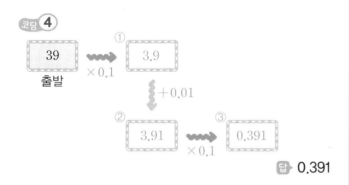

답 **0.391**

102쪽

코딩 ⑤

(1) $0.92 \times 0.8 = 0.736$

➡ 1보다 작으므로 '×'가 인쇄된다. 답 **×**

(2) $3.2 \times 0.45 = 1.44$ ➡ 1보다 크므로 '○'가 인쇄된다.

답 **○**

융합 ⑥

(왼쪽 접시에 올려놓은 분동의 무게) $= 5$ g

0.5 g짜리 분동을 □개라 하면 $0.5 \times □ = 5$, $□ = 10$

이다. 답 **10개**

> 참고
> · (소수) $\times$ 10, 100, 1000
> 소수에 10, 100, 1000을 곱하면 곱하는 수의 0이 하나씩 늘어날 때마다 곱의 소수점은 오른쪽으로 한 칸씩 옮겨진다.
> 예 $1.23 \times \underline{10} = 12.3$
> $1.23 \times \underline{100} = 123$
> $1.23 \times \underline{1000} = 1230$

103쪽

융합 ⑦

태양에서 지구까지의 거리를 1로 볼 때 태양에서 토성까지의 거리가 9.6이다.

태양에서 지구까지의 거리를 10 cm로 나타내면 태양에서 토성까지의 거리는

$9.6 \times 10 = 96$ (cm)로 나타내야 한다. 답 **96 cm**

코딩 ⑧

27에서 소수점을 왼쪽으로 두 자리 옮기면 0.27이 되고, 83에서 소수점을 왼쪽으로 두 자리 옮기면 0.83이 되므로 넣은 수에 0.01을 곱하는 규칙이다.

➡ $4.1 \times 0.01 = 0.041$ 답 **0.041**

> 참고
> · (자연수) $\times$ 0.1, 0.01, 0.001
> 자연수에 0.1, 0.01, 0.001을 곱하면 곱하는 소수의 소수점 아래 자리 수가 하나씩 늘어날 때마다 곱의 소수점은 왼쪽으로 한 칸씩 옮겨진다.
> 예 $123 \times 0.1 = 12.3$
> $123 \times 0.01 = 1.23$
> $123 \times 0.001 = 0.123$

종합평가 실전 마무리 하기 [104~107쪽]

104쪽

1 (지연이가 가지고 있는 끈의 길이)

$= 0.9 \times 12 = 10.8$ (m) 답 **10.8 m**

2 (학교에서 도서관까지의 거리)

$= 3.8 \times 1.5 = 5.7$ (km) 답 **5.7 km**

3 ❶ (오늘 사용한 간장의 양) $= 0.75 \times 0.8 = 0.6$ (L)

❷ (어제와 오늘 사용한 간장의 양)

$= 0.75 + 0.6 = 1.35$ (L) 답 **1.35 L**

105쪽

4 ❶ $4.7 \times 1.3 = 6.11$

❷ 문제의 식을 간단히 나타내기:

$6.11 < ● < 9$

❸ ●에 알맞은 자연수: 7, 8 ➡ 2개 답 **2개**

5 ① (타일 한 장의 넓이)$=2.2 \times 7.3 = 16.06$ (cm^2)

② (바닥에 타일을 붙인 부분의 넓이)

$= 16.06 \times 5 = 80.3$ (cm^2)　　답 **80.3 cm^2**

6 ① 3시간 42분$=3$시간$+\dfrac{42}{60}$시간

$=3$시간$+\dfrac{7}{10}$시간

$=3.7$시간

② (3시간 42분 동안 갈 수 있는 거리)

$=130 \times 3.7 = 481$ (km)　　답 **481 km**

106쪽

7 ① 어떤 수를 □라 하여 잘못 계산한 식 세우기:

□$+0.7=10.4$

② 어떤 수 구하기:

□$=10.4-0.7=9.7$ ➡ (어떤 수)$=9.7$

③ 바르게 계산한 값: $9.7 \times 0.7 = 6.79$　　답 **6.79**

8 ① (새로운 텃밭의 가로)$=9.6 \times 1.5 = 14.4$ (m)

② (새로운 텃밭의 세로)$=7.5 \times 1.8 = 13.5$ (m)

③ (새로운 텃밭의 넓이)$=14.4 \times 13.5 = 194.4$ (m^2)

답 **194.4 m^2**

107쪽

9 ① 수 카드의 수가 큰 수부터 4장을 골라 순서대로 쓰기:

9 , 7 , 5 , 3

② 두 소수의 자연수 부분에 놓을 두 수: 9, 7

③ 곱이 가장 크게 되는 곱셈식을 만들고 계산하기:

$9.3 \times 7.5 = 69.75$ 또는 $7.5 \times 9.3 = 69.75$

식 **$9.3 \times 7.5 = 69.75$ (또는 $7.5 \times 9.3 = 69.75$)**

10 ① (색 테이프 16장의 길이의 합)

$=8.5 \times 16 = 136$ (m)

② (겹친 부분의 수)$=16-1=15$(군데)

(겹친 부분의 길이의 합)$=3.42 \times 15 = 51.3$ (m)

③ (이어 붙인 색 테이프의 전체 길이)

$=136-51.3=84.7$ (m)　　답 **84.7 m**

참고 색 테이프 ■장을 이어 붙였을 때

(이어 붙인 색 테이프의 전체 길이)

$=$(색 테이프 ■장의 길이의 합)

　$-$(겹친 부분의 길이의 합)

40

5 직육면체

FUN한 기억 노트

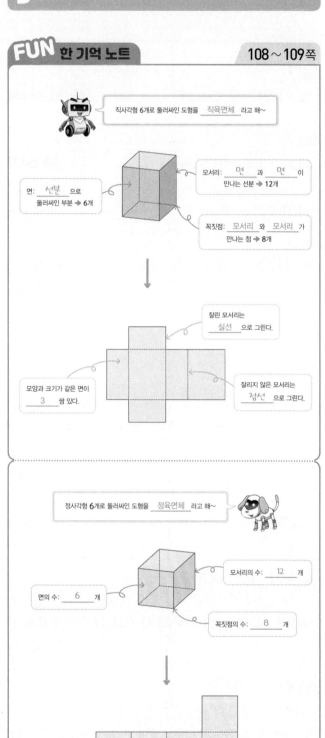

직사각형 6개로 둘러싸인 도형을 직육면체 라고 해~

면: 선분 으로 둘러싸인 부분 ➡ 6개

모서리: 면 과 면 이 만나는 선분 ➡ 12개

꼭짓점: 모서리 와 모서리 가 만나는 점 ➡ 8개

잘린 모서리는 실선 으로 그린다.

모양과 크기가 같은 면이 3 쌍 있다.

잘리지 않은 모서리는 점선 으로 그린다.

정사각형 6개로 둘러싸인 도형을 정육면체 라고 해~

모서리의 수: 12 개

면의 수: 6 개

꼭짓점의 수: 8 개

모양과 크기가 같은 면이 6 개 있다.

모든 모서리의 길이가 (같다 , 다르다).

STEP **문제 해결력 기르기** 110~115쪽

110쪽

선행 문제 1

(1) (왼쪽부터) 7, 8, 4

(2) (왼쪽부터) 3, 6, 5

실행 문제 1

❶ 6, 3

❷ 6, 3, 60 📘 답 60 cm

쌍둥이 문제 1-1

❶ [전략] 보이는 모서리는 실선으로 그려진 모서리이다.

보이는 모서리는 6 cm, 3 cm, 8 cm인 모서리가 각각 3개씩 있다.

❷ (보이는 모서리의 길이의 합)
= (6+3+8)×3
= 51 (cm) 📘 답 51 cm

111쪽

선행 문제 2

(1)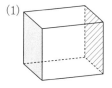

(2)

실행 문제 2

❶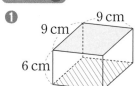

참고 직육면체에서 서로 평행한 면은 마주 보는 면이다.

❷ 9

❸ 9, 36 📘 답 36 cm

초간단 풀이

❶ 같다에 ○표

❷ 9

❸ [전략] (정사각형의 둘레)=(한 변의 길이)×4

9, 36 📘 답 36 cm

112쪽

선행 문제 3

(1) ㅈ, ㅇ

(2) ㅈㅇ

실행 문제 3

❶ ㅋ, ㅌ

❷ 5

참고 전개도를 접었을 때 선분 ㄱㅎ과 겹치는 선분은 선분 ㅋㅌ 이다.

📘 답 5 cm

쌍둥이 문제 3-1

❶ [전략] 전개도를 접었을 때 서로 만나는 점을 찾자.

점 ㅋ과 만나는 점: 점 ㄱ

점 ㅊ과 만나는 점: 점 ㄴ

❷ [전략] 전개도를 접었을 때 겹치는 선분을 찾자.

(선분 ㅋㅊ)=4 cm

참고 전개도를 접었을 때 선분 ㅋㅊ과 겹치는 선분은 선분 ㄱㄴ 이다.

📘 답 4 cm

113쪽

선행 문제 4

(1) 14

(2) 2, 4

실행 문제 4

❶ 14

❷ 14, 98 📘 답 98 cm

주의 직육면체의 전개도의 둘레는 전개도에서 실선으로 그려진 부분의 길이의 합이다.

점선으로 그려진 부분까지 생각하지 않도록 주의한다.

쌍둥이 문제 **4-1**

❶ 전략 전개도의 둘레에서 길이가 같은 선분을 모두 찾자.

전개도의 둘레에는 길이가 9 cm인 선분이 14개 있다.

❷ (전개도의 둘레)=9×14=126 (cm)

답 **126 cm**

114쪽

선행 문제 **5**

(1) 4 / 4, 36

(2) 12 / 12, 24

참고 정육면체는 모양과 크기가 같은 정사각형 6개로 둘러싸여 있으므로 모든 모서리의 길이가 같다.

실행 문제 **5**

❶ 12

❷ 12, 7

답 **7 cm**

쌍둥이 문제 **5-1**

❶ 정육면체는 모서리 12개의 길이가 모두 같다.

❷ 전략 (모든 모서리의 길이의 합)÷(모서리의 수)

(한 모서리의 길이)=72÷12=6 (cm)

답 **6 cm**

115쪽

실행 문제 **6**

❶ 2, 4

❷ 2, 4, 58

답 **58 cm**

쌍둥이 문제 **6-1**

❶ 전략 끈으로 둘러싼 부분은 각 모서리의 길이와 같은 부분이 몇 군데인지 알아보자.

끈으로 둘러싼 부분을 알아보면

길이가 3 cm인 부분: 2군데

길이가 6 cm인 부분: 2군데

길이가 5 cm인 부분: 4군데

❷ (상자를 묶는 데 사용한 끈의 길이)

=3×2+6×2+5×4

=38 (cm)

답 **38 cm**

 수학 **사고력** 키우기 **116~121쪽**

116쪽

대표 문제 ❶

구 모서리

주 9

해 ❶ 답

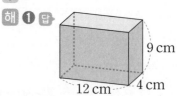

❷ 답 **12 cm, 4 cm, 9 cm**

❸ 12+4+9=25 (cm)

답 **25 cm**

쌍둥이 문제 **1-1**

구 직육면체에서 보이지 않는 모서리의 길이의 합

주 직육면체에서 길이가 서로 다른 모서리 3개의 길이:

7 cm, 10 cm, 5 cm

❶ 직육면체에서 보이지 않는 모서리를 점선으로 표시하기

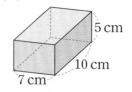

❷ 전략 평행한 모서리는 길이가 같으므로 ❶에서 표시한 모서리와 평행한 모서리를 찾자.

보이지 않는 모서리의 길이: 7 cm, 10 cm, 5 cm

❸ (보이지 않는 모서리의 길이의 합)

=7+10+5=22 (cm)

답 **22 cm**

117쪽

대표 문제 ❷

구 평행

해 ❶ 답 **면 ㅁㅂㅅㅇ**

❷ 서로 평행한 모서리는 길이가 같으므로

면 ㅁㅂㅅㅇ의 네 모서리의 길이는 각각 4 cm,

9 cm, 4 cm, 9 cm이다.

답 **4 cm, 9 cm, 4 cm, 9 cm**

❸ 4+9+4+9=26 (cm)

답 **26 cm**

쌍둥이 문제 2-1

구 직육면체에서 면 ㄱㅁㅇㄹ과 평행한 면의 모서리의 길이의 합

어 1 면 ㄱㅁㅇㄹ과 평행한 면을 찾고

2 1에서 찾은 면의 네 모서리의 길이를 각각 구한 다음

3 2에서 구한 네 모서리의 길이의 합을 구하자.

❶ 전략 면 ㄱㅁㅇㄹ과 마주 보는 면을 찾자.

면 ㄱㅁㅇㄹ과 평행한 면: 면 ㄴㅂㅅㄷ

❷ 전략 서로 평행한 모서리를 찾자.

면 ㄴㅂㅅㄷ의 네 모서리의 길이는 각각 12 cm, 8 cm, 12 cm, 8 cm이다.

❸ (모서리의 길이의 합)

$= 12 + 8 + 12 + 8 = 40$ (cm)

답 **40 cm**

118쪽

대표 문제 3

주 9, 5

해 ❶ 점 ㅇ과 점 ㅂ이 만나므로 선분 ㅅㅇ과 선분 ㅅㅂ이 겹친다.

(선분 ㅅㅇ)=(선분 ㅅㅂ)=9 cm

답 **선분 ㅅㅂ, 9 cm**

❷ 점 ㅇ과 점 ㅂ, 점 ㅈ과 점 ㅁ이 만나므로 선분 ㅇㅈ과 선분 ㅂㅁ이 겹친다.

(선분 ㅇㅈ)=(선분 ㅂㅁ)=5 cm

답 **선분 ㅂㅁ, 5 cm**

❸ (선분 ㅅㅈ)=9+5=14 (cm) 답 **14 cm**

쌍둥이 문제 3-1

구 선분 ㄱㄷ의 길이

주 •선분 ㅋㅌ의 길이: 4 cm

•선분 ㅈㅇ의 길이: 10 cm

•선분 ㅅㅇ의 길이: 8 cm

❶ 전략 서로 만나는 점을 이용해서 겹치는 선분을 찾자.

전개도를 접었을 때 선분 ㄱㄴ과 겹치는 선분과 그 길이 구하기: 선분 ㅈㅇ, 10 cm

❷ 전개도를 접었을 때 선분 ㄴㄷ과 겹치는 선분과 그 길이 구하기: 선분 ㅇㅅ, 8 cm

❸ (선분 ㄱㄷ)=(선분 ㄱㄴ)+(선분 ㄴㄷ)

$= 10 + 8 = 18$ (cm) 답 **18 cm**

119쪽

대표 문제 4

해 ❶ 답 4, 2, 8

❷ $8 \times 4 + 9 \times 2 + 3 \times 8 = 32 + 18 + 24$

$= 74$ (cm) 답 **74 cm**

쌍둥이 문제 4-1

구 직육면체의 전개도의 둘레

❶ 전개도의 둘레에는 길이가 3 cm인 선분이 6개, 6 cm인 선분이 2개, 5 cm인 선분이 6개 있다.

❷ (전개도의 둘레)=$3 \times 6 + 6 \times 2 + 5 \times 6$

$= 18 + 12 + 30$

$= 60$ (cm) 답 **60 cm**

120쪽

대표 문제 5

해 ❶ 길이가 8 cm, 6 cm, ㉠ cm인 모서리가 각각 4개씩 있다. 답 4, 4, 4

❷ $8 \times 4 + 6 \times 4 = 32 + 24 = 56$ (cm) 답 **56 cm**

❸ (길이가 ㉠ cm인 모서리 4개의 길이의 합)

$= 96 - 56 = 40$ (cm)

➔ ㉠$\times 4 = 40$, ㉠$= 10$ 답 **10**

쌍둥이 문제 5-1

어 (길이가 ㉠ cm인 모서리 4개의 길이의 합)

=(모든 모서리의 길이의 합)−(길이가 10 cm인 모서리 4개와 7 cm인 모서리 4개의 길이의 합)

❶ 직육면체에서 길이가 10 cm, 7 cm, ㉠ cm인 모서리가 각각 4개씩 있다.

❷ (길이가 10 cm인 모서리 4개와 7 cm인 모서리 4개의 길이의 합)

$= 10 \times 4 + 7 \times 4 = 40 + 28 = 68$ (cm)

❸ (길이가 ㉠ cm인 모서리 4개의 길이의 합)

$= 80 - 68 = 12$ (cm)

➔ ㉠$\times 4 = 12$, ㉠$= 3$ 답 **3**

121쪽

대표 문제 6

주 6, 10

해 ❶ 답 2, 2, 4

❷ $9 \times 2 + 4 \times 2 + 6 \times 4 = 18 + 8 + 24 = 50$ (cm)

답 **50 cm**

❸ $50 + 10 = 60$ (cm) 답 **60 cm**

쌍둥이 문제 | 6-1

구 상자를 포장하는 데 사용한 끈의 길이

주 •직육면체 모양의 상자에서 길이가 서로 다른 모서리 3개의 길이: 13 cm, 12 cm, 10 cm
•매듭을 묶는 데 사용한 끈의 길이: 15 cm

❶ 끈으로 둘러싼 부분은 13 cm가 2군데, 12 cm가 2군데, 10 cm가 4군데이다.

❷ (상자를 둘러싸는 데 사용한 끈의 길이)
$= 13 \times 2 + 12 \times 2 + 10 \times 4$
$= 26 + 24 + 40 = 90$ (cm)

❸ 전략 (❷에서 구한 길이)+(매듭을 묶는 데 사용한 끈의 길이)
(상자를 포장하는 데 사용한 끈의 길이)
$= 90 + 15 = 105$ (cm)

답 **105 cm**

3 STEP 수학 독해력 완성하기 122~125쪽

122쪽

독해 문제 | 1

구 직육면체에 그어진 선을 전개도에 긋기

어 ❶ 직육면체에서 꼭짓점을 확인하고 전개도에서 각 꼭짓점의 위치를 찾고

❷ 선이 그어진 면의 꼭짓점을 찾아 전개도에 선이 지나간 자리를 그려 넣자.

해 ❶ 답 (위부터) ㅇ / ㄴ, ㅂ

❷ 답
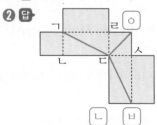

독해 문제 | 2

구 전개도에서 면 ㉠, ㉡, ㉢에 알맞은 눈의 수

주 주사위에서 서로 마주 보는 면의 눈의 수의 합: 7

어 ❶ 면 ㉠, ㉡, ㉢과 마주 보는 면의 눈의 수를 찾고

❷ 주사위에서 서로 마주 보는 면의 눈의 수의 합이 7임을 이용하여 면 ㉠, ㉡, ㉢에 알맞은 눈의 수를 각각 구하자.

해 ❶ 답 4, 2, 6

❷ ㉠: $7-4=3$, ㉡: $7-2=5$, ㉢: $7-6=1$

답 **3, 5, 1**

독해 문제 | 2-1

다음 전개도로 서로 마주 보는 면의 눈의 수의 합이 7인/ 주사위를 만들려고 합니다./
면 ㉠, ㉡, ㉢에 알맞은 눈의 수를 각각 구하세요.

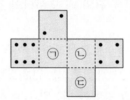

구 면 ㉠, ㉡, ㉢에 알맞은 눈의 수

주 주사위에서 서로 마주 보는 면의 눈의 수의 합: 7

어 ❶ 면 ㉠, ㉡, ㉢과 마주 보는 면의 눈의 수를 찾고

❷ 주사위에서 서로 마주 보는 면의 눈의 수의 합이 7임을 이용하여 면 ㉠, ㉡, ㉢에 알맞은 눈의 수를 각각 구하자.

해 ❶ 면 ㉠, ㉡, ㉢과 마주 보는 면의 눈의 수 구하기
㉠: 4, ㉡: 6, ㉢: 2

❷ 면 ㉠, ㉡, ㉢에 알맞은 눈의 수 구하기
㉠: $7-4=3$, ㉡: $7-6=1$, ㉢: $7-2=5$

답 ㉠: 3, ㉡: 1, ㉢: 5

123쪽

독해 문제 | 3

어 ❶ 빗금 친 면과 수직인 면을 직육면체의 전개도에서 모두 찾아 색칠한 다음

❷ 색칠한 부분이 직사각형임을 이용하여 색칠한 부분의 둘레를 구하자.

해 ❶ 답
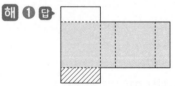

❷
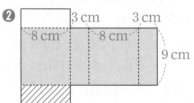

(가로)$= 8+3+8+3 = 22$ (cm)
(세로)$= 9$ cm

답 **22 cm, 9 cm**

❸ $(22+9) \times 2 = 31 \times 2 = 62$ (cm)

답 **62 cm**

독해 문제 | **3-1**　　　　정답에서 제공하는 **쌍둥이 문제**

빗금 친 면과 수직인 면을/ 직육면체의 전개도에서
모두 찾아 색칠하고,/
색칠한 부분의 둘레는 몇 cm인지 구하세요.

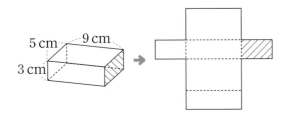

구　직육면체의 전개도에서 빗금 친 면과 수직인 면의 둘레

어　❶ 빗금 친 면과 수직인 면을 직육면체의 전개도에서 모두 찾아 색칠한 다음

　　❷ 색칠한 부분이 직사각형임을 이용하여 색칠한 부분의 둘레를 구하자.

해　❶ 빗금 친 면과 수직인 면을 직육면체의 전개도에서 모두 찾아 색칠하기

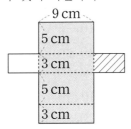

　　❷ ❶에서 (색칠한 부분의 가로)=9 cm,
　　　(색칠한 부분의 세로)=5+3+5+3=16(cm)

　　❸ (색칠한 부분의 둘레)
　　　=(9+16)×2=50(cm)　　답 **50 cm**

독해 문제 | **4**

해　❶

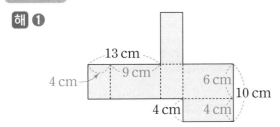

4 cm, 13-4=9(cm), 10-4=6(cm)
　　　　　　　　　　　答 **4 cm, 9 cm, 6 cm**

❷ (길이가 서로 다른 세 모서리의 길이의 합)×4
　=(4+9+6)×4=19×4=76(cm)

답 **76 cm**

독해 문제 | **4-1**　　　　정답에서 제공하는 **쌍둥이 문제**

직육면체의 전개도를 접었을 때/
모든 모서리의 길이의 합은 몇 cm인지 구하세요.

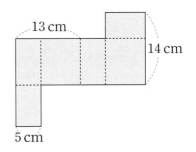

구　직육면체의 전개도를 접었을 때 모든 모서리의 길이의 합

어　❶ 직육면체의 전개도를 접었을 때 길이가 서로 다른 세 모서리의 길이를 각각 구하고

　　❷ 직육면체에는 길이가 같은 모서리가 4개씩 있음을 이용하여 모든 모서리의 길이의 합을 구하자.

해　❶

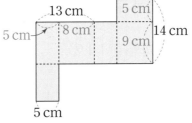

길이가 서로 다른 세 모서리의 길이:
　5 cm, 13-5=8(cm), 14-5=9(cm)

❷ (모든 모서리의 길이의 합)
　=(5+8+9)×4
　=22×4=88(cm)　　答 **88 cm**

124쪽

독해 문제 | **5**

주　40, 6

해　❶ 답 **면 ㅁㅂㅅㅇ**

❷ (모서리 ㄹㅇ)
　=(모서리 ㄱㅁ)=(모서리 ㄴㅂ)=(모서리 ㄷㅅ)
　　　　　　　　　　3개　　　　　答 **3개**

❸ 답 **2, 4**

❹ 40×2+6×4=80+24=104(cm)
　　　　　　　　　　　　　答 **104 cm**

독해 문제 | 5-1   정답에서 제공하는 쌍둥이 문제

직육면체에서 면 ㄴㅂㅁㄱ의 둘레가 20 cm일 때/ 모든 모서리의 길이의 합은 몇 cm인지 구하세요.

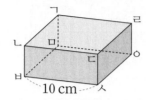

구 직육면체의 모든 모서리의 길이의 합

주 ・면 ㄴㅂㅁㄱ의 둘레: 20 cm

  ・모서리 ㅂㅅ의 길이: 10 cm

어 ❶ 면 ㄴㅂㅁㄱ과 둘레가 같은 면을 찾고

  ❷ 직육면체에서 서로 평행한 모서리는 길이가 같음을 이용하여 모서리 ㅂㅅ과 길이가 같은 모서리를 모두 찾은 다음,

  ❸ 모든 모서리의 길이의 합을 구하자.

해 ❶ 면 ㄴㅂㅁㄱ과 둘레가 같은 면: 면 ㄷㅅㅇㄹ

  ❷ 모서리 ㅂㅅ과 길이가 같은 모서리가 3개 더 있다.

  ❸ (모든 모서리의 길이의 합)

  ＝(면 ㄴㅂㅁㄱ의 둘레)×2

   ＋(모서리 ㅂㅅ의 길이)×4

  ＝20×2＋10×4＝40＋40＝80 (cm)

답 80 cm

독해 문제 | 6-1   정답에서 제공하는 쌍둥이 문제

직육면체의 전개도입니다./ 선분 ㄴㄷ의 길이는 몇 cm인지 구하세요.

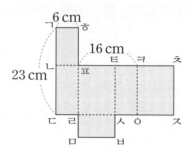

구 선분 ㄴㄷ의 길이

주 ・선분 ㄱㅎ의 길이: 6 cm

  ・선분 ㄱㄷ의 길이: 23 cm

  ・선분 ㅋㅍ의 길이: 16 cm

어 전개도를 접었을 때 서로 겹치거나 평행한 선분은 길이가 같음을 이용하여 구하자.

해 ❶ (선분 ㅋㅌ)＝(선분 ㄱㅎ)＝6 cm

  ❷ (선분 ㅌㅍ)＝(선분 ㅋㅍ)－(선분 ㅋㅌ)

   ＝16－6

   ＝10 (cm)

  ❸ (선분 ㄱㄴ)＝(선분 ㅎㅍ)＝(선분 ㅌㅍ)

   ＝10 cm

  ❹ (선분 ㄴㄷ)＝(선분 ㄱㄷ)－(선분 ㄱㄴ)

   ＝23－10

   ＝13 (cm)

답 13 cm

125쪽

독해 문제 | 6

주 (위부터) 12, 17

해 ❶ (선분 ㅇㅈ)＝(선분 ㅂㅁ)＝12 cm   답 12 cm

  ❷ (선분 ㅅㅇ)＝(선분 ㅅㅈ)－(선분 ㅇㅈ)

   ＝17－12

   ＝5 (cm)   답 5 cm

  ❸ (선분 ㄹㅁ)＝(선분 ㅅㅂ)＝(선분 ㅅㅇ)＝5 cm

   답 5 cm

  ❹ (선분 ㄷㄹ)＝(선분 ㄷㅁ)－(선분 ㄹㅁ)

   ＝14－5

   ＝9 (cm)   답 9 cm

 STEP 4 창의·융합 코딩 체험하기   126~129쪽

126쪽

융합 ①

초록색 면과 평행한 면이 파란색이므로 초록색 면과 수직인 면은 초록색과 파란색을 제외한 나머지 4가지 색깔이다.

답 빨간색, 흰색, 주황색, 노란색

이동 방향으로 6칸 이동하고 시계 방향으로 90도 돌리기를 4번 반복하면 한 변의 길이가 6칸인 정사각형이 그려진다.

답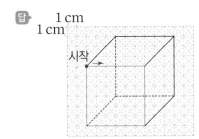

127쪽

융합 ③

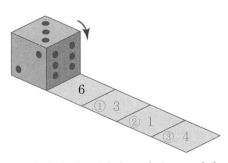

① 두 번째 바닥에 닿는 면의 눈의 수는 3이다.

② 6과 마주 보는 면의 눈의 수는 7−6=1이다.

③ 3과 마주 보는 면의 눈의 수는 7−3=4이다.

답 (왼쪽부터) 3, 1, 4

참고 주사위의 눈의 수가 2인 면과 마주 보는 면의 눈의 수:
7−2=5
➡ 눈의 수가 2, 5인 면을 제외한 나머지 1, 3, 4, 6인 면이 바닥에 닿게 된다.

융합 ④

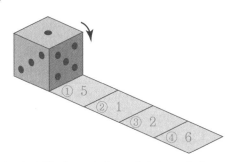

① 처음 바닥에 닿는 면의 눈의 수는 5이다.

② 두 번째 바닥에 닿는 면의 눈의 수는 1이다.

③ 5와 마주 보는 면의 눈의 수는 7−5=2이다.

④ 1과 마주 보는 면의 눈의 수는 7−1=6이다.

답 (왼쪽부터) 5, 1, 2, 6

128쪽

융합 ⑤

보이지 않는 모서리는 9 cm, 19 cm, 6 cm가 각각 1개이다.

➡ (보이지 않는 모서리의 길이의 합)
=9+19+6=34 (cm)   답 34 cm

창의 ⑥

3의 눈이 그려진 면과 평행한 면의 눈의 수는 4이다.

➡ 모니터에 나오는 수: 4   답 4

129쪽

창의 ⑦

상자의 전개도에서 밑면을 찾고, 밑면을 제외한 나머지 면에 무늬를 그려 넣는다.

답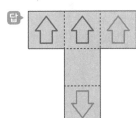

창의 ⑧

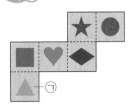

전개도에서 면 ㉠과 마주 보는 면은 ★ 모양이다.

정육면체에서 ★ 모양과 마주 보는 면은 ▲ 모양이다.

답

창의 ⑨

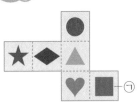

전개도에서 면 ㉠과 마주 보는 면은 ◆ 모양이다.

정육면체에서 ◆ 모양과 마주 보는 면은 ■ 모양이다.

답

정답과 풀이

47

130쪽

1 서로 마주 보고 있는 면:

면 ㄱㄴㄷㄹ과 면 ㅁㅂㅅㅇ ─┐
면 ㄴㅂㅅㄷ과 면 ㄱㅁㅇㄹ ─┼➔ 3쌍
면 ㄷㅅㅇㄹ과 면 ㄴㅂㅁㄱ ─┘

답 **3쌍**

2 ❶ 점 ㅁ과 만나는 점: 점 ㅈ
점 ㅂ과 만나는 점: 점 ㅇ
❷ 선분 ㅁㅂ과 겹치는 선분: 선분 ㅈㅇ

답 **선분 ㅈㅇ**

3 ❶ 직육면체에서 보이지 않는 모서리를 점선으로 표시하기
❷ 보이지 않는 모서리의 길이: 7 cm, 8 cm, 3 cm
❸ (보이지 않는 모서리의 길이의 합)
=7+8+3=18 (cm)

답 **18 cm**

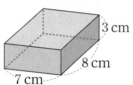

131쪽

4 ❶ 면 ㄴㅂㅁㄱ과 평행한 면: 면 ㄷㅅㅇㄹ
❷ 면 ㄷㅅㅇㄹ의 네 모서리의 길이는 각각 4 cm, 16 cm, 4 cm, 16 cm이다.
❸ (면 ㄴㅂㅁㄱ과 평행한 면의 모서리의 길이의 합)
=4+16+4+16=40 (cm)

답 **40 cm**

5 ❶ 전개도를 접었을 때 선분 ㄹㅁ과 겹치는 선분과 그 길이 구하기: 선분 ㅇㅅ, 8 cm
❷ 전개도를 접었을 때 선분 ㅁㅂ과 겹치는 선분과 그 길이 구하기: 선분 ㅅㅂ, 5 cm
❸ (선분 ㄹㅂ)=(선분 ㄹㅁ)+(선분 ㅁㅂ)
=8+5=13 (cm)

답 **13 cm**

6 ❶ 전개도의 둘레에는 길이가 5 cm인 선분이 4개, 7 cm인 선분이 6개, 4 cm인 선분이 4개 있다.
❷ (전개도의 둘레)=5×4+7×6+4×4
=20+42+16=78 (cm)

답 **78 cm**

132쪽

7 ❶ 면 ㉠, ㉡, ㉢과 마주 보는 면의 눈의 수 구하기
㉠: 5, ㉡: 4, ㉢: 6
❷ 면 ㉠, ㉡, ㉢에 알맞은 눈의 수 구하기
㉠: 7−5=2, ㉡: 7−4=3, ㉢: 7−6=1

답 **2, 3, 1**

8 ❶ 빗금 친 면과 수직인 면을 직육면체의 전개도에서 모두 찾아 색칠하기

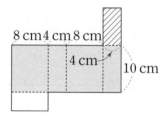

❷ (색칠한 부분의 가로)=8+4+8+4=24 (cm)
(색칠한 부분의 세로)=10 cm
❸ (색칠한 부분의 둘레)=(24+10)×2=68 (cm)

답 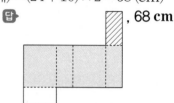 , **68 cm**

133쪽

9 ❶ 직육면체에서 길이가 ㉠ cm, 4 cm, 10 cm인 모서리가 각각 4개씩 있다.
❷ (길이가 4 cm인 모서리 4개와 10 cm인 모서리 4개의 길이의 합)
=4×4+10×4=16+40=56 (cm)
❸ (길이가 ㉠ cm인 모서리 4개의 길이의 합)
=104−56=48 (cm)
➔ ㉠×4=48, ㉠=12

답 **12**

10 ❶ 끈으로 둘러싼 부분은 16 cm가 2군데, 30 cm가 2군데, 15 cm가 4군데이다.
❷ (상자를 둘러싸는 데 사용한 끈의 길이)
=16×2+30×2+15×4
=32+60+60=152 (cm)
❸ (상자를 포장하는 데 사용한 끈의 길이)
=152+18=170 (cm)

답 **170 cm**

참고 (상자를 포장하는 데 사용한 끈의 길이)
=(상자를 둘러싸는 데 사용한 끈의 길이)
+(매듭을 묶는 데 사용한 끈의 길이)

6 평균과 가능성

FUN 한 이야기   134~135쪽

5 / 천희

1 STEP   문제 해결력 기르기   136~141쪽

136쪽

선행 문제 1

108, 36 / 45 / 28, 35

실행 문제 1

❶ 89, 356, 89

❷ 국어   답 국어

쌍둥이 문제 1-1

❶ 전략 (4일 동안 운동한 시간의 합)÷(날수)

(4일 동안 운동한 시간의 평균)

$=(40+44+35+41)÷4=160÷4=40$(분)

❷ 전략 ❶에서 구한 시간보다 짧은 시간을 찾자.

운동한 시간이 평균보다 적은 요일: 수요일

답 수요일

다르게 풀기

40   44   35   41

수를 고르게 하면 40, 40, 40, 40이므로 평균은 40이다.
평균이 40분이므로 40분보다 적은 요일은 수요일(35
분)이다.

137쪽

선행 문제 2

3 / 3, 50 / 50

실행 문제 2

❶ 4, 49

❷ 많아야에 ○표, 49   답 49쪽

138쪽

선행 문제 3

(1) $\frac{1}{2}$ (2) 1

실행 문제 3

❶ 3, 5 / $\frac{1}{2}$에 ○표 / 0에 ○표

❷ ㉠   답 ㉠

쌍둥이 문제 3-1

❶ 전략 일이 일어날 가능성을 수로 표현하자.

㉠ 파란색 공일 가능성: 불가능하다 ➡ 0

㉡ 흰색 공일 가능성: 반반이다 ➡ $\frac{1}{2}$

❷ 일이 일어날 가능성이 더 높은 것: ㉡   답 ㉡

139쪽

선행 문제 4

(1) 예   (2) 예

실행 문제 4

❶ 빨간색

❷ 노란색

❸ 파란색   답 파란색

참고

쌍둥이 문제 4-1

❶ 가장 넓은 부분에 칠할 색: 주황색

❷ 가장 좁은 부분에 칠할 색: 보라색

❸ ㉠에 알맞은 색: 초록색   답 초록색

참고

140쪽

선행 문제 5

(1) 207 / 207, 72   (2) 207 / 207, 64

실행 문제 5

❶ 13, 52

❷ 52, 16　　　　　　　　　　　답▶ **16살**

쌍둥이 문제 5-1

❶ [전략] (모둠의 몸무게의 평균)×(학생 수)
(모둠의 몸무게의 합)
$=45×4=180$ (kg)

❷ [전략] ❶에서 구한 몸무게)−(선미, 경주, 은지의 몸무게의 합)
(준하의 몸무게)
$=180−(45+50+44)=41$ (kg)　　답▶ **41 kg**

141쪽

선행 문제 6

3, 3 / 3, 60

실행 문제 6

❶ 2, 164

❷ 164, 252

❸ 252, 84　　　　　　　　　　답▶ **84점**

쌍둥이 문제 6-1

❶ [전략] (여학생의 공 던지기 기록의 평균)×(여학생 수)
(여학생의 공 던지기 기록의 합)$=18×3=54$ (m)

❷ (모둠 전체 학생의 공 던지기 기록의 합)
$=22+54=76$ (m)

❸ [전략] (모둠 전체 학생의 공 던지기 기록의 합)
÷(모둠 전체 학생 수)
(모둠 전체 학생의 공 던지기 기록의 평균)
$=76÷4=19$ (m)　　　　　　답▶ **19 m**

STEP 2 수학 사고력 키우기　142~147쪽

142쪽

대표 문제 1

해 ❶ (지민이네 모둠의 읽은 책 수의 합)÷(학생 수)
$=(37+41+36+43+38)÷5$
$=195÷5=39$(권)　　　　　답▶ **39권**

❷ 읽은 책 수가 39권보다 많은 학생은 준호(41권),
희찬(43권)이다.　　　　　답▶ **준호, 희찬**

쌍둥이 문제 1-1

구 전기 사용량이 평균보다 적은 가구

어 ❶ 다섯 가구의 지난달 전기 사용량의 평균을 구하고
❷ 가구별 전기 사용량과 ❶에서 구한 전기 사용량을
비교하여 전기 사용량이 평균보다 적은 가구를
모두 찾자.

❶ [전략] (가구별 전기 사용량의 합)÷(가구 수)
(다섯 가구의 지난달 전기 사용량의 평균)
$=(220+205+230+180+215)÷5$
$=1050÷5=210$ (킬로와트시)

❷ [전략] 표를 보고 ❶에서 구한 사용량보다 적은 가구를 찾자.
전기 사용량이 평균보다 적은 가구: 102호, 104호
답▶ **102호, 104호**

143쪽

대표 문제 2

해 ❶ $(18+24+22+19+17)÷5$
$=100÷5=20$(회)　　　　답▶ **20회**

❷ 토요일 기록은 5일 동안 한 팔굽혀펴기 기록의
평균보다 많아야 한다.　　답▶ **많아야**에 ○표

❸ 토요일 기록은 최소 20회보다 많아야 한다.
답▶ **20회**

참고 자료의 수가 한 개 늘어나면서 평균이 커지려면
(늘어난 자료의 값)>(원래 있던 자료 값의 평균)이어야
한다.

쌍둥이 문제 2-1

어 ❶ 5일 동안 돌린 훌라후프 기록의 평균을 구한 다음
❷ 월요일부터 토요일까지의 기록의 평균이 ❶에서
구한 평균보다 많으려면 토요일의 기록은 ❶에
서 구한 기록보다 많아야 함을 이용하여 구하자.

❶ [전략] (5일 동안 돌린 훌라후프 기록의 합)÷(날수)
(5일 동안 돌린 훌라후프 기록의 평균)
$=(56+38+49+45+52)÷5$
$=240÷5=48$(번)

❷ 토요일 기록은 5일 동안 돌린 훌라후프 기록의 평균
보다 많아야 한다.

❸ 토요일의 기록은 최소 48번보다 많아야 한다.
답▶ **48번**

144쪽

대표 문제 3

구 높은

해 ❶ ㉠ 2의 배수는 2, 4, 6이므로 가능성은 '반반이다' 이다. ➡ $\frac{1}{2}$

㉡ 6 이하인 수는 1, 2, 3, 4, 5, 6이므로 가능성 은 '확실하다'이다. ➡ 1

㉢ 주사위에는 0이 없으므로 0일 가능성은 '불가 능하다'이다. ➡ 0   답 $\frac{1}{2}$, 1, 0

❷ $1 > \frac{1}{2} > 0$ ➡ ㉡ > ㉠ > ㉢   답 ㉡

참고

~아닐 것 같다	~일 것 같다

불가능하다　　　반반이다　　　확실하다
0　　　　　　　$\frac{1}{2}$　　　　　　1

일이 일어날 가능성이 '~아닐 것 같다'는 0보다 크고 $\frac{1}{2}$보다 작은 수로, '~일 것 같다'는 $\frac{1}{2}$보다 크고 1보다 작은 수로 표현할 수 있다.

쌍둥이 문제 3-1

구 일이 일어날 가능성이 가장 높은 것의 기호

어 １ 일이 일어날 가능성을 수로 표현하고

２ １에서 구한 수를 비교하여 일이 일어날 가능성 이 가장 높은 것을 찾자.

❶ 전략 불가능하다 ➡ 0, 반반이다 ➡ $\frac{1}{2}$, 확실하다 ➡ 1

㉠ 수 카드의 수는 1부터 6까지이므로 8일 가능성은 '불가능하다'이다. ➡ 0

㉡ 4의 약수는 1, 2, 4이므로 4의 약수일 가능성은 '반반이다'이다. ➡ $\frac{1}{2}$

㉢ 1 이상 6 이하인 수는 1, 2, 3, 4, 5, 6이므로 가능성은 '확실하다'이다. ➡ 1

참고 ●의 약수: ●를 나누어떨어지게 하는 수
예 4의 약수: 4÷ 1 =4 ┐
4÷ 2 =2 ├➡ 1, 2, 4
4÷ 4 =1 ┘

❷ 일이 일어날 가능성이 가장 높은 것: ㉢   답 ㉢

145쪽

대표 문제 4

구 짝수

주 4

해 ❶ 꺼낸 동전의 개수가 짝수일 경우:
2개, 4개 ➡ 2가지
꺼낸 동전의 개수가 짝수일 가능성:
반반이다 ➡ $\frac{1}{2}$ 답 $\frac{1}{2}$

❷ 회전판을 돌릴 때 화살이 빨간색에 멈출 가능성이 $\frac{1}{2}$이 되도록 회전판의 2칸을 빨간색으로 색칠 한다.   답 예

쌍둥이 문제 4-1

구 꺼낸 구슬의 개수가 홀수일 가능성과 회전판을 돌릴 때 화살이 초록색에 멈출 가능성이 같도록 회전판 에 색칠하기

주 ・상자에 들어 있는 구슬의 개수: 6개
・(꺼낸 구슬의 개수가 홀수일 가능성)
＝(회전판을 돌릴 때 화살이 초록색에 멈출 가능성)

❶ 전략 불가능하다 ➡ 0, 반반이다 ➡ $\frac{1}{2}$, 확실하다 ➡ 1
꺼낸 구슬의 개수가 홀수일 경우는 1개, 3개, 5개 이므로 가능성은 '반반이다'이다. ➡ $\frac{1}{2}$

❷ 화살이 초록색에 멈출 가능성이 $\frac{1}{2}$이 되도록 회전판 의 3칸을 초록색으로 색칠한다.

답 예

146쪽

대표 문제 5

해 ❶ 91×5=455(번)   답 455번

❷ 455-(88+97+85+95)
＝455-365=90(번)   답 90번

❸ 97번>95번>90번>88번>85번이므로 가장 높은 때는 2회이다.   답 2회

쌍둥이 문제 | 5-1

구 가장 오래 운동한 요일

어 (목요일에 운동한 시간)
　=(5일 동안 운동한 시간의 합)
　　-(월요일, 화요일, 수요일, 금요일에 운동한 시간의 합)

❶ [전략] (평균)×(날수)
　(5일 동안 운동한 시간의 합)=45×5=225(분)

❷ (목요일에 운동한 시간)
　=225-(40+50+35+45)=55(분)

❸ 55분>50분>45분>40분>35분이므로
　가장 오래 운동한 요일은 목요일이다.　**답 목요일**

147쪽

대표 문제 6

주 40, 10

해 ❶ 40×15=600(초)　　　　　**답 600초**

❷ 30×10=300(초)　　　　　**답 300초**

❸ 15+10=25(명)　　　　　**답 25명**

❹ (경호네 반 전체 학생의 기록의 합)
　=600+300=900(초)
　➡ 900÷25=36(초)　　　　**답 36초**

쌍둥이 문제 | 6-1

구 효진이네 반 전체 학생의 몸무게의 평균

주 •남학생 수: 12명, 남학생 몸무게의 평균: 45 kg
　•여학생 수: 8명, 여학생 몸무게의 평균: 40 kg

어 (효진이네 반 전체 학생의 몸무게의 평균)
　=(남학생과 여학생 몸무게의 합)
　　÷(반 전체 학생 수)

❶ [전략] (남학생 몸무게의 평균)×(남학생 수)
　(남학생 몸무게의 합)=45×12=540 (kg)

❷ [전략] (여학생 몸무게의 평균)×(여학생 수)
　(여학생 몸무게의 합)=40×8=320 (kg)

❸ (효진이네 반 전체 학생 수)=12+8=20(명)

❹ (효진이네 반 전체 학생의 몸무게의 평균)
　=(540+320)÷20=43 (kg)　**답 43 kg**

148쪽

독해 문제 1

구 ☺ 모양 카드를 뽑을 가능성을 수로 표현하기

어 ❶ ☺ 모양 카드를 모두 찾고

　❷ 전체 카드 8장 중 ☺ 모양 카드를 뽑을 가능성을 수로 표현하자.

해 ❶ **답 4장**

　❷ 전체 카드 8장 중에서 4장이므로 가능성은
　'반반이다'이다. ➡ $\frac{1}{2}$　　**답 $\frac{1}{2}$**

독해 문제 1-1　　　정답에서 제공하는 **쌍둥이 문제**

다음 수 카드 중에서 한 장을 뽑을 때 / 2의 배수인 수 카드를 뽑을 가능성을 수로 표현하세요.

| 1 | 4 | 7 | 10 | 13 | 16 | 19 | 22 |

어 ❶ 2의 배수인 수 카드를 모두 찾고

　❷ 전체 카드 8장 중 2의 배수인 수 카드를 뽑을 가능성을 수로 표현하자.

해 ❶ 2의 배수인 수 카드는 4, 10, 16, 22가 적힌 카드로 모두 4장이다.

　❷ 전체 카드 8장 중 4장이므로 가능성은
　'반반이다'이다. ➡ $\frac{1}{2}$　　**답 $\frac{1}{2}$**

독해 문제 2

구 100 m 달리기 기록의 평균이 더 좋은 사람

어 ❶ 규현이와 현희의 100 m 달리기 기록의 평균을 각각 구하고

　❷ ❶에서 구한 평균을 비교하여 기록의 평균이 더 좋은 사람을 구하자.

해 ❶ (18+19+21+18)÷4=76÷4=19(초)
　　　　　　　　　　　　답 19초

　❷ (17+24+19)÷3=60÷3=20(초)　**답 20초**

　❸ 19<20이므로 규현이의 100 m 달리기 기록이 더 좋다.　　　　　**답 규현**

독해 문제 | 2-1 　　　　　정답에서 제공하는 **쌍둥이 문제**

우진이와 성호의 100 m 달리기 기록을 나타낸 것입니다. /

100 m 달리기 기록의 평균이 더 좋은 사람은 누구인지 구하세요.

우진	18초	20초	16초	

성호	19초	20초	17초	20초

구 100 m 달리기 기록의 평균이 더 좋은 사람

어 ❶ 우진이와 성호의 100 m 달리기 기록의 평균을 각각 구하고

❷ ❶에서 구한 평균을 비교하여 기록의 평균이 더 좋은 사람을 구하자.

해 ❶ (우진이의 100 m 달리기 기록의 평균)
$=(18+20+16)÷3=54÷3=18$(초)

❷ (성호의 100 m 달리기 기록의 평균)
$=(19+20+17+20)÷4$
$=76÷4=19$(초)

❸ 18<19이므로 우진이의 100 m 달리기 기록의 평균이 더 좋다. 　답▶ 우진

149쪽

독해 문제 | 3

구 금요일에 적어도 걸어야 하는 시간

주 •4일 동안 요일별 걸은 시간
•칭찬 도장을 받을 조건: 월요일부터 금요일까지 걸은 시간의 평균이 40분 이상

어 ❶ 칭찬 도장을 받으려면 월요일부터 금요일까지 걸어야 하는 시간은 몇 분 이상이 되어야 하는지 구하고

❷ ❶에서 구한 시간과 4일 동안 걸은 시간의 합을 이용하여 금요일에는 적어도 몇 분을 걸어야 하는지 구하자.

해 ❶ $40×5=200$(분) 이상 　답▶ 200분

❷ $200-(30+44+41+37)$
$=200-152=48$(분) 　답▶ 48분

독해 문제 | 3-1 　　　　　정답에서 제공하는 **쌍둥이 문제**

예진이네 모둠의 4회까지의 단체 줄넘기 기록을 나타낸 표입니다. /

단체 줄넘기 대회에서 준결승에 올라가려면 5회까지 기록의 평균이 25번 이상이 되어야 합니다. /
준결승에 올라가려면 / 5회에는 적어도 몇 번을 넘어야 하는지 구하세요.

줄넘기 횟수

회	1회	2회	3회	4회
횟수(번)	19	25	28	27

구 준결승에 올라가려면 5회에 적어도 넘어야 하는 줄넘기 횟수

주 •4회까지의 줄넘기 기록
•준결승에 올라가기 위한 조건: 5회까지 기록의 평균이 25번 이상

어 ❶ 준결승에 올라가려면 5회까지 기록의 합은 몇 번 이상이 되어야 하는지 구하고

❷ ❶에서 구한 기록과 4회까지 기록의 합을 이용하여 5회에는 적어도 몇 번을 넘어야 하는지 구하자.

해 ❶ 준결승에 올라가려면 5회까지 기록의 합은 $25×5=125$(번) 이상이어야 한다.

❷ 5회에는 적어도
$125-(19+25+28+27)=26$(번)을 넘어야 한다. 　답▶ 26번

독해 문제 | 4

구 새로운 회원의 나이

어 (새로운 회원의 나이)
=(새로운 회원이 들어온 후 나이의 합)
－(새로운 회원이 들어오기 전 나이의 합)

해 ❶ $(14+11+12+15)÷4=52÷4=13$(살)
　답▶ 13살

❷ $13+1=14$(살) 　답▶ 14살

❸ $14×5-(14+11+12+15)$
$=70-52=18$(살) 　답▶ 18살

독해 문제 | 4-1   정답에서 제공하는 **쌍둥이 문제**

연극 동아리 회원의 나이를 나타낸 표입니다./
새로운 회원이 한 명 더 들어와서 5명이 되었고/
나이의 평균이 한 살 줄었습니다./
새로운 회원의 나이는 몇 살인지 구하세요.

동아리 회원의 나이

이름	시환	민지	한진	준희
나이(살)	19	10	18	17

구 새로운 회원의 나이

어 (새로운 회원의 나이)
 =(새로운 회원이 들어온 후 나이의 합)
  −(새로운 회원이 들어오기 전 나이의 합)

해 ❶ (새로운 회원이 들어오기 전 동아리 회원의
   나이의 평균)
   $=(19+10+18+17)÷4$
   $=64÷4=16(살)$
 ❷ (새로운 회원이 들어온 후 동아리 회원의 나
   이의 평균)$=16-1=15(살)$
 ❸ (새로운 회원의 나이)
   $=15×5-(19+10+18+17)$
   $=75-64=11(살)$ 답 11살

참고
• 새로운 회원이 한 명 더 들어와서 나이의 평균이 늘어난
  경우
  ➡ 새로운 회원의 나이는 새로운 회원이 들어오기 전
     나이의 평균보다 많다.
• 새로운 회원이 한 명 더 들어와서 나이의 평균이 줄어든
  경우
  ➡ 새로운 회원의 나이는 새로운 회원이 들어오기 전
     나이의 평균보다 적다.

150쪽

독해 문제 | 5

구 많은

해 ❶ 21명＞20명＞18명＞13명   답 21명
 ❷ $(20+21+13+18)÷4=72÷4=18(명)$
                    답 18명
 ❸ $21-18=3(명)$ 답 3명

독해 문제 | 5-1   정답에서 제공하는 **쌍둥이 문제**

지현이네 모둠의 키를 나타낸 표입니다./
키가 가장 큰 학생은/ 지현이네 모둠의 평균 키보다/
몇 cm 더 큰지 구하세요.

지현이네 모둠의 키

이름	지현	승호	영은	혜진
키(cm)	153	160	145	154

구 키가 가장 큰 학생과 지현이네 모둠의 평균 키
  의 차

어 ❶ 키가 가장 큰 학생의 키를 찾고
 ❷ 지현이네 모둠의 평균 키를 구한 다음
 ❸ ❶에서 구한 키와 ❷에서 구한 키의 차를 구
   하자.

해 ❶ 키가 가장 큰 학생의 키: 160 cm
 ❷ (지현이네 모둠의 평균 키)
   $=(153+160+145+154)÷4$
   $=612÷4$
   $=153 (cm)$
 ❸ (키가 가장 큰 학생의 키)
   −(지현이네 모둠의 평균 키)
   $=160-153$
   $=7 (cm)$ 답 7 cm

151쪽

독해 문제 | 6

주 1 / 1, 35

해 ❶ 1시간=60분,
   $60×3=180(분)$ 답 180분
 ❷ 1시간 35분=95분,
   $95×4=380(분)$ 답 380분
 ❸ $(180+380)÷7=560÷7=80(분)$
   ➡ 80분=1시간 20분   답 1시간 20분

참고
(준수가 일주일 동안 하루에 공부한 시간의 평균)
=((월요일부터 수요일까지 공부한 시간의 합)
  +(목요일부터 일요일까지 공부한 시간의 합))
 ÷(전체 공부한 날수)

시우는 월요일부터 수요일까지는 평균 1시간 15분씩,
목요일과 금요일에는 평균 1시간씩 축구를 했습니다. /
시우가 5일 동안 하루에 축구를 한 시간은 /
평균 몇 시간 몇 분인지 구하세요. /
(단, 시우는 매일 축구를 합니다.)

구 시우가 5일 동안 하루에 축구를 한 시간의 평균

어 ❶ 1시간=60분임을 이용하여 월요일부터 수요일까지 축구를 한 시간의 합과 목요일과 금요일에 축구를 한 시간의 합을 각각 구하고

❷ ❶에서 구한 시간을 이용하여 시우가 5일 동안 하루에 축구를 한 시간의 평균을 구하자.

해 ❶ 1시간 15분=75분
(월요일부터 수요일까지 축구를 한 시간의 합)
=75×3=225(분)

❷ (목요일과 금요일에 축구를 한 시간의 합)
=60×2=120(분)

❸ (5일 동안 하루에 축구를 한 시간의 평균)
=(225+120)÷5
=345÷5=69(분)

➡ 69분=1시간 9분 **답** 1시간 9분

STEP 창의 융합 코딩 체험하기 152~155쪽

152쪽

창의 1

공정한 놀이는 예준이와 은서가 1점을 얻을 가능성이 같아야 한다. **답** 1

코딩 2

1 이상 10 이하인 자연수 중 짝수는 2, 4, 6, 8, 10이므로 짝수가 나올 가능성은 '반반이다'이다. **답** 반반이다

153쪽

코딩 3

(평균)=(세 사람의 점수의 합)÷(학생 수)이므로 점수의 합을 3으로 나눈다. **답** 3

융합 4

(8+8+9+10+14+11)÷6=60÷6=10 (℃)

답 10 ℃

154쪽

융합 5

(5년 동안 발생한 횟수의 평균)
=(12+7+10+6+5)÷5
=40÷5=8(회)

➡ 8회보다 더 많이 발생한 연도는 2015년(12회),
2017년(10회)이다. **답** 2015년, 2017년

창의 6

(선주네 학교 학생 1명당 사용하는 운동장의 평균 넓이)
=3900÷650=6 (m²)
(진훈이네 학교 학생 1명당 사용하는 운동장의 평균 넓이)
=4250÷850=5 (m²)

➡ 6 m²>5 m² **답** 선주네 학교

155쪽

코딩 7

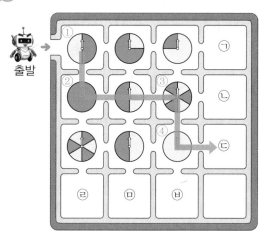

① 초록색에 멈출 가능성이 '반반이다'이므로 수로 표현하면 $\frac{1}{2}$이다. ➡ 아래쪽으로 1칸 이동

② 초록색에 멈출 가능성이 '확실하다'이므로 수로 표현하면 1이다. ➡ 오른쪽으로 2칸 이동

③ 초록색에 멈출 가능성이 '반반이다'이므로 수로 표현하면 $\frac{1}{2}$이다. ➡ 아래쪽으로 1칸 이동

④ 초록색에 멈출 가능성이 '불가능하다'이므로 수로 표현하면 0이다. ➡ 오른쪽으로 1칸 이동 **답** ㉢

창의 8

7월: 150권, 8월: 210권, 10월: 140권
(4개월 동안 판매한 책의 수의 합)=200×4=800(권)
(9월에 판매한 책의 수)=800−(150+210+140)
                      =300(권)
300권>210권>150권>140권이므로 책을 가장 많이 판매한 달은 9월이다. 달▶ **9월**

종합평가 **실전 마무리 하기** 156~159쪽

156쪽

1 (버스 한 대에 탄 학생 수의 평균)=225÷5=45(명)
 달▶ **45명**

2 ❶ (당첨 제비가 아닌 제비 수)=6−3=3(개)
  ❷ 뽑은 제비가 당첨 제비가 아닐 가능성은 '반반이다'
   이므로 수로 표현하면 $\frac{1}{2}$이다. 달▶ $\frac{1}{2}$

3 ❶ (5일 동안 방문자 수의 평균)
   =(81+90+127+102+115)÷5
   =515÷5=103(명)
  ❷ 방문자 수가 평균보다 많았던 요일: 수요일, 금요일
  ❸ 안전 요원을 배정해야 하는 요일: 수요일, 금요일
    달▶ **수요일, 금요일**

157쪽

4 ❶ (5일 동안 접은 종이학 수의 평균)
   =(12+14+10+15+19)÷5
   =70÷5=14(개)
  ❷ 토요일에는 5일 동안 접은 종이학 수의 평균보다 많이 접어야 한다.
  ❸ 토요일에는 최소 14개보다 많이 접어야 한다.
    달▶ **14개**

5 ❶ ㉠ 공 4개 중 2개가 파란색 공이므로 가능성은 '반반이다'이다. ▶ $\frac{1}{2}$
   ㉡ 검은색 공이 없으므로 가능성은 '불가능하다'이다. ▶ 0
   ㉢ 검은색 공만 있으므로 가능성은 '확실하다'이다. ▶ 1
  ❷ 일이 일어날 가능성이 가장 높은 것: ㉢ 달▶ **㉢**

158쪽

6 ❶ 꺼낸 바둑돌의 개수가 짝수일 가능성:
   반반이다 ▶ $\frac{1}{2}$
  ❷ 화살이 노란색에 멈출 가능성이 $\frac{1}{2}$이 되도록 회전판의 4칸을 노란색으로 색칠한다.
    달▶ 예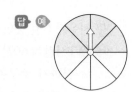

7 ❶ 1월부터 5월까지의 자전거 생산량의 합은
   200×5=1000(대) 이상이 되어야 한다.
  ❷ 5월에는 적어도
   1000−(205+172+184+213)
   =1000−774=226(대)를 생산해야 한다.
    달▶ **226대**

8 ❶ (5회 동안의 수학 점수의 합)=84×5=420(점)
  ❷ (3회의 수학 점수)
   =420−(80+75+89+84)
   =420−328=92(점)
  ❸ 92점>89점>84점>80점>75점이므로 수학 점수가 가장 높은 때는 3회이다. 달▶ **3회**

159쪽

9 ❶ (새로운 회원이 들어오기 전 나이의 평균)
   =(12+16+11+17)÷4
   =56÷4=14(살)
  ❷ (새로운 회원이 들어온 후 나이의 평균)
   =14+1=15(살)
  ❸ (새로운 회원의 나이)
   =15×5−(12+16+11+17)
   =75−56=19(살) 달▶ **19살**

10 ❶ (남학생의 윗몸 말아 올리기 기록의 합)
   =41×10=410(회)
  ❷ (여학생의 윗몸 말아 올리기 기록의 합)
   =33×6=198(회)
  ❸ (수진이네 반 전체 학생 수)=10+6=16(명)
  ❹ (수진이네 반 전체 학생의 윗몸 말아 올리기 기록의 평균)=(410+198)÷16
   =608÷16=38(회) 달▶ **38회**

수학 심화 문제 해결서

상위권 실력 완성

최고수준
수학

상위권 필수 교재

각종 경시 유형 문제와
완벽한 피드백 제공으로 실전에 강한
수학 상위권 실력 완성

심화 유형 집중 공략

대표 심화 유형 문제 및
쌍둥이 문제, 발전 문제 수록으로
심화 유형 집중 학습 가능

다양한 부가자료

유명강사의 명강의를 들을 수 있는
문제풀이 동영상 강의 및
나만의 오답노트 앱 제공

한 문제에 울고 웃는
상위권을 위한 수학교재
(초등 1~6학년 / 학기별)

정답은
이안에
있어.!

난이도 별점
쉬움 ★
보통 ★★★
어려움 ★★★★★
최상위 ★★★★★★★

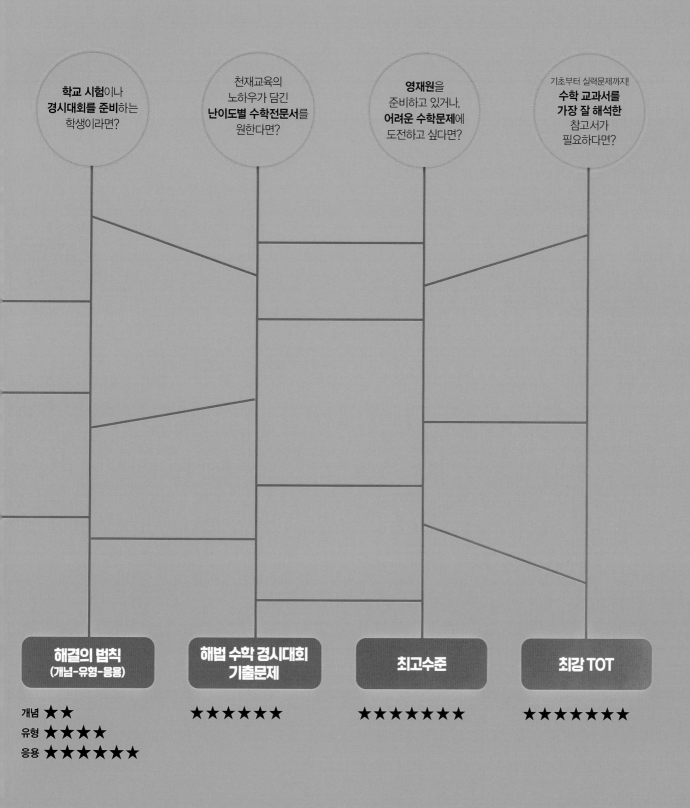

학교 시험이나
경시대회를 준비하는
학생이라면?

천재교육의
노하우가 담긴
난이도별 수학전문서를
원한다면?

영재원을
준비하고 있거나,
어려운 수학문제에
도전하고 싶다면?

기초부터 실력문제까지!
**수학 교과서를
가장 잘 해석한**
참고서가
필요하다면?

해결의 법칙
(개념-유형-응용)

**해법 수학 경시대회
기출문제**

최고수준

최강 TOT

개념 ★★
유형 ★★★★
응용 ★★★★★★

★★★★★★

★★★★★★★

★★★★★★★

배움으로 행복한 내일을 꿈꾸는
천재교육 커뮤니티 안내 . . .

교재 안내부터 구매까지 한 번에!
천재교육 홈페이지

천재교육 홈페이지에서는 자사가 발행하는 참고서,
교과서에 대한 소개는 물론 도서 구매도 할 수 있습니다.
회원에게 지급되는 별을 모아 다양한 상품 응모에도
도전해 보세요.

구독, 좋아요는 필수! 핵유용 정보 가득한
천재교육 유튜브 <천재TV>

신간에 대한 자세한 정보가 궁금하세요?
참고서를 어떻게 활용해야 할지 고민인가요?
공부 외 다양한 고민을 해결해 줄 채널이 필요한가요?
학생들에게 꼭 필요한 콘텐츠로 가득한 천재TV로 놀러오세요!

다양한 교육 꿀팁에 깜짝 이벤트는 덤!
천재교육 인스타그램

천재교육의 새롭고 중요한 소식을 가장 먼저 접하고 싶다면?
천재교육 인스타그램 팔로우가 필수!
누구보다 빠르고 재미있게 천재교육의 소식을 전달합니다.
깜짝 이벤트도 수시로 진행되니 놓치지 마세요!